논·술·세·계·대·표·문·학

29

적과 흑

스탕달 | 박상란 엮음

H 훈민출판사

스탕달의 초상화

스탕달 박물관

The Best World Literature

스탕달의 묘지

스탕달의 생가

스탕달이 존경한 보나파르트 나폴레옹

〈적과 흑〉의 삽화 - 쥘리앵과 레날 부인의 첫 만남 장면이다.

나폴레옹의 측근이었던 스탕달의 아버지

영화로 만들어진 〈적과 흑〉

The Best World Literature

〈적과 흑〉에서 쥘리앵이 레날 부인을 총으로 쏜 성당의 모델

스탕달의 또 다른 작품인 〈파르므의 수도원〉의 삽화

구인환(丘仁煥)

서울대학교 사범대학 졸업. 동 대학원 졸업(문학박사)
서울대학교 명예교수, 소설가(현). 서울대학교 사범대학 국어교육연구소 소장(현)
문학과문학교육연구소 소장(현). 국제펜 한국본부 부회장(현)
한국소설문학상(1987). 예술문화대상(1994). 한국문학상(2000)
작품 〈숨쉬는 영정〉, 〈살아 있는 날들〉, 〈일어서는 산〉 외 다수

• **저서** 《한국단편소설의 이해》, 《한국현대소설의 비평적 성찰》,
　　　《고교생이 알아야 할 소설》, 《고교생이 알아야 할 세계단편소설》 외 다수

윤병로(尹柄魯)

성균관대학교 국어국문학과 졸업. 동 대학원 졸업(문학박사)
성균관대학교 교수, 문학평론가(현). 한국현대소설학회장(현)
한국문예학술저작권협회 이사(현). 한국간행물윤리위원회 위원(현)
한국펜 문학상(1987). 한국문학상(1988). 대한민국문학상(1989)
수필집 《나의 작은 애인들》 외 다수

• **저서** 《현대 작가론》, 《한국 현대 소설의 탐구》,
　　　《한국 근대 작가 작품 연구》, 《한국 현대 작가의 문제작 평설》 외 다수

홍성암(洪性岩)

고려대학교 국어국문학과 졸업. 한양대학교 대학원 국어국문학과 졸업(문학박사)
동덕여자대학교 교수, 소설가(현). 한국문인협회 회원(현)
한국소설가협회 이사(현). 국제펜 한국본부 소설분과 이사(현). 한민족 문화학회 회장(현)
창작집 《큰 물로 가는 큰 고기》, 《어떤 귀향》 외
대하역사소설 《남한산성》 (전9권) 외 다수

• **저서** 《문학의 이해》, 《현대 작가론》, 《한국 근대 역사소설 연구》 외 다수

기
획
·
감
수

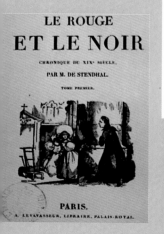

당시 출판된 〈적과 흑〉의 표지

논술 *세계대표문학*을 펴내며

21세기의 사회는 **'전자 문명 시대'**라 일컬어질 만큼 오늘날 전자 산업은 우리 생활의 거의 모든 분야에 다양하게 응용되고 있습니다. 출판 분야 또한 예외는 아니어서, 종래의 서책(Book) 대신에 이른바 '전자책(CD-ROM)'의 출간이 최근 들어 날로 증가하고 있습니다.

그러나 이러한 전자책은 영상 또는 모니터상으로 흥미 위주나 백과사전식 지식을 습득하는 데는 효과적일지 모르지만, 문학 공부를 위해서는 별로 도움이 되지 않습니다. 바꾸어 말하면, 문학 공부는 각 지면마다 살아 숨쉬는 표현 하나하나를 독자 자신의 머리로 음미하면서 작품을 읽어 나가는 가운데, 풍부한 상상력의 배양과 함께 작가의 의도와 그 작품의 내면을 깊이 있게 이해함으로써 이루어지는 것입니다.

이에 훈민출판사에서는, 자라나는 학생들이 범람하는 영상 매체에 길들여지기 전에, 어려서부터 유명한 세계문학 작품들을 책자를 통하여 감명 깊게 읽고 감상함으로써, 올바른 문학 공부의 기틀을 다지고, 아울러 전인 교육도 할 수 있도록 《논술 세계대표문학(전60권)》을 펴내게 되었습니다.

작품 선정은, 초 · 중 · 고등학교 국어 교과서와 역사 교과서에 실리거나 소개된 문학 작품을 중심으로 하되, 그리스 신화와 성경 이야기 등의 고전에서부터 중세 · 근대 · 현대에 이르기까지 세르반테스 · 셰익스피어 · 톨스토이 등 세계 유명 작가들의 장 · 단편 소설들을 엄선 · 수록하였습니다. 또 세계의 명시도 별권으로 엮었으며, 특히 각 단락마다 **'논술 문제'**를 제시하여, 장차 대학입시를 비롯한 각종 '논술 고사'에 예비 지식을 쌓을 수 있도록 배려하였습니다. 아무쪼록, 이 《논술 세계대표문학(전60권)》이 자라나는 학생들에게 문학 공부의 주춧돌이 되고, 나아가 미래를 살아가는 데 **정신적 자양분**이 되기를 진심으로 바라 마지않습니다.

훈민출판사

차례

적과 흑

스탕달

지은이

1783~1842년. 프랑스 그르노블에서 출생. 본명은 마리 앙리 벨로, 어렸을 적부터 권력이나 종교에 쉽게 굴하지 않는 반항심과 반종교심이 무척 강한 소년이었다. 1812년 파리 사교계와 문단에 관여하면서 본격적인 문필 생활을 시작했다. 영국과 프랑스의 잡지에 시사평론을 기고하는 등의 활동으로 낭만주의 문학의 대변자로 일컬어지기도 했다. 그 즈음 첫 단편 소설 〈바니나 바니니〉를 쓰는 한편, 실재의 재판사건에서 힌트를 얻은 불후의 명작 〈적과 흑〉을 집필하였다. 그 밖의 작품으로 〈파르므의 수도원〉과 미완으로 남긴 〈앙리 브륄라르의 생애〉, 〈라미엘〉, 〈뤼시앵 뢰벤〉이 있다.

적과 흑

소도시 베리에르

소도시 베리에르의 거리는 프랑시콩테 지방에서 가장 아담한 거리다. 붉은 기와로 덮인 뾰족한 지붕의 하얀 집들이 언덕을 따라 펼쳐져 있고, 울창한 나무숲은 언덕의 기복을 더욱 드러내고 있다.

오래 전, 에스파냐 사람들이 지은 옛 성채는 이제 폐허가 되었고, 그 아래로 두브 강이 흐르고 있다. 이 도시의 북쪽에는 배라 산이 있다. 쥐라 산맥의 한 지맥인 이 배라 산의 톱날 같은 봉우리들은 찬바람이 부는 10월이면 벌써 하얀 눈으로 뒤덮인다. 배라 산에서 내려오는 거센 급류는 베리에르를 지나 두브 강으로 흘러간다. 이 물줄기는 베리에르의 많은 제재소에 동력을 제공한다. 이 도시 사람들은 이 제재소 덕분에 편안히 지내고 있다. 그러나 이 도시가 부자가 된 것은 나폴레옹이 물러가고 '뮐루즈'라는 천을 제조한 덕분이었다.

이 도시에 처음 온 사람은 굉장한 기계 소리에 기겁을 한다. 묵직한 쇠망치가 배라 산에서 흘러내리는 급류의 힘으로 돌아가는 수레바퀴에 의해 위아래를 움직이며 지축을 흔들어 놓는다. 그 쇠망치들은 하루에 수많은 못을 만들어 낸다. 길을 지나는 사람들의 귀청을 쨍쨍 울리는 이 커다란 못 공장이 누구 소유냐고 물으면, 이 곳 사람들은 느릿느릿한 사투리로 이렇게 대답할 것이다.

"예, 그건 시장님의 것인데요."

이 곳에 오는 사람들은 무슨 일이라도 있는 듯 빠르고 거만하게 걷는 남자를 만나게 될 것이다. 이 남자가 나타나면 사람들은 모자를 벗어 든다. 그는 반백의 머리에 회색 옷을 입고 가슴에는 훈장을 주렁주렁 달고 있다.

얼핏 보기에 시골 시장 같은 위엄이 있는 이 50대의 중년 남자는 매력적이다. 하지만 파리에서 온 사람이라면, 어딘지 모르게 꽉 막히고 융통성이 없고 교만한 그의 인상에 눈살을 찌푸릴 것이다. 이 사람이 베리에르 시장인 레날 씨다.

여행자가 이 곳에 와서 계속 걸어 올라가면 아름다운 집과 쇠살로 만든 담장과 그 담장 너머에 있는 굉장한 정원을 보게 된다. 레날 시장의 집이다. 이 아름다운 집은 못 공장에서 번 돈으로 지었다.

소문에 의하면 레날 시장의 조상은 에스파냐계로서, 루이 14세가 프랑시콩테를 정복하기 훨씬 전부터 이 곳에 살았다고 한다. 1815년이 지나면서 레날 씨는 자기가 공장 주인이라는 것을 부끄러워했다. 왜냐하면 그 해에 시장이 되었기 때문이다. 독일의 라이프치히나 프랑크푸르트, 뉘른베르크 등 많은 공업 도시의 그림같이 아름다운 정원이 프랑스에는 거의 없다. 프랑시콩테에서는 돌담이 늘어날수록 마을 사람들의 존경을 받게 된다. 레날 씨가 마을 사람들의 존경을 받게 된 것은 바로 그의 정원을 굉장한 값을 치르면서 넓혔을 때부터이다.

한 예로, 시내에 들어설 때 제일 먼저 보이는 것은 지붕을 온통 차지할 만한 커다란 판자에 엄청 크게 써 놓은 두브 강가에 있는 간판이다. 이 곳은 6년 전까지만 해도 소렐 제재소였다. 그런데 지금은 레날 씨의 정원이 되어 돌담을 쌓고 있다.

레날 씨는 시골 영감 소렐의 고집에 무척이나 골치가 아팠다. 결국 많은 돈을 주고서야 겨우 그의 제재소를 다른 곳으로 옮기게 하였다. 덕분에 소렐 영감은 그 제재소보다 네 배나 넓은 땅을 갖게 되었다. 또한 그 땅은 재목을 팔기에도 좋은 곳이었다. 이 사실을 아는 사람들은 소렐 영감을 욕했다.

레날 시장

행정가로서 레날 씨가 명성을 얻은 것은 두브 강에서 30미터 가량 위쪽의 언덕을 낀 유원지에 방벽을 쌓아 주었기 때문이다. 이 유원지는 프랑스에서도 가장 아름다운 경관을 볼 수 있는 곳에 있다.

그러나 봄이 되면 빗물로 길이 엉망이 되고 여기저기에 웅덩이가 생겨 아주 불편했다. 그런데 레날 씨가 이 유원지에 6미터 높이의 방벽을 45미터로 높여 주었다. 그래서 사람들은 레날 씨를 좋아하게 되었다.

전 내무대신은 이 유원지의 개축 공사를 무조건 반대했다. 그래서 레날 씨는 이 방벽을 쌓기 위해 파리를 세 번이나 갔다 왔다. 지금은 1.2 미터나 되는 난간이 완성되었는데 역대 대신들의 반대를 조롱하듯 아름답고 우아한 석재로 장식되었다. 이 아름다운 돌담에 기대어 두브 강의 계곡을 내려다보면서 나는 그윽한 몽상에 사로잡히곤 했다.

하지만 내가 이 '피델리테(충성) 유원지'에서 마음에 들지 않는 것이 하나 있는데, 그것은 시 당국에서 나무를 손질할 때 나무의 굵은 가지까지 잘라 버리는 것이었다. 나무를 마치 보잘것없는 채소처럼 만들어 버리는 것이다. 시장은 일 년에 한두 번은 무자비하게 나뭇가지를 쳐냈다. 다소 과장도 있겠지만 이 지방의 자유주의자들은 사제 대리 마슬롱 씨가 이 유원지의 나뭇가지를 책임지면서부터 시에서 나온 정원사들이 나뭇가지를 더 험하게 다뤘다고 한다. 마슬롱 씨는 셸랑 신부와 이웃의

몇몇 사제들을 감시하기 위해 몇 년 전 브장송에서 파견된 사람이다.

이탈리아 원정군에 있다가 지금은 이 곳에 은거 중인 한 군의관이 하루는 시장에게 나무 자르는 것을 항의했다(시장은 이 군의관을 급진 혁명주의자이며 보나파르트파라고 했다). 레날 시장은 군의관이 레지옹 도뇌르 훈장을 받은 사람이기에 약간 위엄을 갖추어 이렇게 말했다.

"나도 나무 그늘이 좋아요. 하지만 나무 그늘 때문에 밀이 자라지 않아요. 나뭇가지를 치는 것은 다 그것 때문입니다."

어느 화창한 가을날, 레날 씨는 부인과 팔짱을 끼고 피델리테 유원지를 걸었다. 부인은 남편의 말에 귀를 기울이면서도 아들들이 노는 곳을 걱정하는 눈빛으로 바라보았다. 열한 살쯤 되어 보이는 맏아들은 난간 쪽으로 가서 그 위로 올라가려고 했다. 그럴 때마다,

"아놀프!"

하고 부르는 어머니의 목소리를 듣고 아이는 물러서곤 했다. 서른 살쯤 되어 보이는 레날 부인은 무척 아름다웠다.

"파리에서 왔다는 그 작자는 곧 후회하게 될 거야."

레날 씨는 화가 난 듯이 말했다.

베리에르의 시장을 곤혹스럽게 하는 사람은 파리에서 온 신사, 바로 아페르 씨였다. 이틀 전 이 곳에 온 그는 베리에르의 감옥과 빈민 수용소, 그리고 시장이 담당하는 병원과 이 지방 대지주들의 집을 모두 방문했다.

레날 부인은 남편의 말에 조심스럽게 대꾸했다.

"하지만 당신은 가난한 사람들을 위해 일하시잖아요. 그런 당신에게 그 사람이 해로운 일을 하겠어요?"

"남의 험담을 하지 않으면 자유주의 성향을 가진 신문에 이러쿵저러쿵 악평을 쓸 거야."

"당신은 그런 신문을 안 보시잖아요."

"그렇지만 그 과격파들의 입에 오르내리면 아무래도 신경이 쓰이지. 그런 말로 인해 좋은 일을 하는 데 방해를 받고 말이야. 하여튼 그 사제를 그대로 두지는 않을 거야."

레날 시장의 자존심

여든 살의 나이에도 불구하고 배라 산의 신선한 공기 덕분에 아직도 건강하고 대단한 근력을 가진 셸랑 사제에게는 언제든지 감옥이나 병원, 그 밖에 빈민 수용소 등을 다닐 수 있는 권한이 있었다. 사제 앞으로 된 소개장을 받아 가지고 아페르 씨가 파리를 떠나 이 도시에 도착한 것은 아침 6시 정각이었다. 그 길로 그는 셀랑 사제를 찾아갔다.

명문 귀족이며 이 지방에서 제일 부자인 라몰 후작의 소개장을 읽은 셀랑 사제는 한동안 생각을 하다가,

"이 지방 사람들은 나를 따릅니다. 그러니 내 말을 거역하지는 않을 겁니다."

라고 중얼거렸다. 그리고는 좋은 일을 하고자 하는 확신에 찬 눈빛으로 이렇게 말했다.

"나를 따라오십시오. 그런데 간수장 앞에서나 빈민 수용소 관리인들 앞에서는 어떤 비평도 하지 마십시오."

아페르 씨는 셀랑 사제가 의협심이 강하다는 것을 깨달았다. 그는 사제를 따라 여러 곳을 방문하면서 질문도 많이 했다. 그러나 이해할 수 없는 답변이 나와도 비평의 말은 하지 않았다. 방문은 4~5시간 계속되었다.

사제는 아페르 씨를 점심식사에 초대했다. 하지만 그는 폐를 끼치고 싶지 않아 편지를 읽어야 한다며 사양했다. 오후 세 시쯤 두 사람은 빈민 수용소를 방문했다가 감옥으로 갔다.

간수장은 사제를 보자 떡 버티고 서서 말했다.

"사제님, 같이 오신 분은 아페르 씨가 아닙니까?"

"그게 뭐 잘못되었소?"

"실은 어제 명령이 내려왔습니다. 지사님의 명을 받은 경관이 밤새도록 말을 타고 달려와서는 아페르 씨를 감옥에 절대 들여보내지 말라고 했습니다."

"느와르 씨! 나와 같이 오신 분은 아페르 씨가 맞습니다. 하지만 나는 언제든지 감옥에 들어갈 권리가 있다는 것을 알고 있지 않소?"

"그렇기는 하지만……. 저에게는 아내와 자식들이 있습니다. 아페르 씨를 감옥에 들여보낸 것을 누가 밀고라도 하면 저는 직업을 잃게 됩니다. 그러면 저희 식구는 어떻게 합니까?"

"직업을 잃게 될지도 모른다는 것은 나도 마찬가지요."

"하지만 사제님과 저는 전혀 다르지요. 사제님께는 일년에 8백 프랑이 넘는 수입을 얻는 토지가 있다는 것을 다 알고 있습니다……."

이 이야기는 덧붙여지고 과장되어 이틀 동안 베리에르 사람들의 증오와 혐오감을 불러일으켰다.

오늘 아침, 레날 씨는 빈민 수용소장 발르노 씨와 함께 셸랑 사제를 방문하여 심한 불평을 했다. 시장과 수용소장의 공격의 말이 심해지자 사제는 분에 못 이겨 떨리는 목소리로 이렇게 외쳤다.

"자, 나를 사제 자리에서 내쫓으시오. 나에겐 연수입 8백 프랑 정도 되는 땅이 있으니 사제직을 잃어도 별로 겁나지 않습니다. 하지만 나는 파리에서 온 사람이 이 고장의 가난한 사람들과 죄수들에게 어떤 해도 주지 않는다고 생각했소."

레날 씨와 부인은 사이가 좋았다. 그렇지만 부인이,

"파리에서 온 사람이 무슨 나쁜 짓이라도 하겠어요?"

라고 말했을 때 레날 씨는 화가 나서 분통을 터뜨리려고 했다.

그 순간 부인의 얼굴이 새파랗게 질렸다. 둘째 아들이 높은 난간 위에 올라가서 달리기 시작했기 때문이다. 아들은 어머니가 놀란 것을 보고 금방 내려왔지만 크게 꾸중을 들었다. 이 일로 시장 부부의 화제는 바뀌었다.

레날 씨가 말했다.

"제재소 집 아들을 우리 집에 두면 좋겠어. 아이들의 장난이 심한데 우리 힘으로는 감당하기 어려우니 그 젊은이에게 아이들을 봐 달라고 부탁합시다. 소렐은 젊지만 라틴 어도 잘 하고 착실하다고 하니 우리 아이들에게도 좋을 거요. 집에서 숙식을 하고 3백 프랑 정도 줍시다. 물론 그 녀석의 사상이 약간 마음에 걸리기는 하지만……. 그 군의관이 그를 무척 아꼈거든. 아마 그 군의관은 자유주의자의 첩자일지도 몰라. 이 지방의 공기가 건강에 좋다고 해서 왔다고는 하지만 그걸 어떻게 믿겠소? 그런 자유주의자가 소렐에게 라틴 어를 가르쳐 주고, 책도 많이 주었거든. 그래서 나는 제재소 집 아들이 우리 집 가정교사로 적당하지 않다고 생각했었지. 그런데 사제가 그러는데 그 아이가 신학교에 들어가려고 3년 전부터 공부를 한다는 거요. 그러니 소렐이란 녀석은 자유주의자가 아닌 라틴 어 학자가 아니겠소?"

시장은 슬쩍 아내의 눈치를 보다가 말을 이었다.

"발르노 씨가 노르망디종 말 두 필을 사륜마차용으로 사서 꽤 우쭐거리지. 하지만 그 집 아이들은 아직 가정교사는 두지 못했어."

"그럼 이대로 있다간 그 사람을 빼앗길 수도 있겠네요."

"당신도 내 의견에 동의하는 거지? 자, 그럼 결정된 거요."

부인은 골똘히 생각에 잠겼다.

레날 부인은 이 고장에서 제일가는 미인이었다. 부인은 순진하고 젊어 보였다. 그 순진하고 아름다운 모습을 파리 사람들이 본다면 아마도 그녀를 사랑하게 될 것이다. 그녀는 좀처럼 몸치장을 하지 않았다. 그리고 정숙했다.

그녀는 또한 수줍음을 잘 타는 성격이었다.

부인은 사람들이 말하는 '쾌락'이라는 것에 전혀 관심이 없었다. 사람들은 레날 부인이 자기 가문을 내세우며 거만하게 군다고 수군거렸다. 그러나 그녀는 그런 생각을 해 본 적이 없었다. 어쨌든 사람들은 그녀를 멀리하게 되었고 덕분에 찾아오는 사람들도 점점 줄어들었다. 오히려 이 편이 그녀에게는 좋았다.

레날 부인은 다른 부잣집 부인들처럼 남편을 구슬려 파리나 브장송에서 유행하는 모자를 사 쓸 요령도 부릴 줄 몰랐다. 그래서 시내의 부인들에게 놀림감이 되기도 했다. 하지만 부인은 정원을 혼자 산책하는 것을 좋아했고 아무 불평이 없었다.

베리에르의 시장 레날 씨는 부자였고 자기 큰아버지를 닮았다. 그의 큰아버지는 혁명 전 오를레앙 공의 보병연대에 근무했기에 파리에 가게 되면 오를레앙 공의 살롱에 드나들 수 있었다. 그러니 레날 씨가 이 시에서 가장 귀족적인 인물로 통하는 것은 당연했다.

아버지와 아들

"내 아내는 꽤 영리하단 말야."

다음 날 아침 레날 씨는 소렐 영감의 제재소로 가면서 중얼거렸다.

"빈틈없는 그 빈민 수용소장이 소렐 영감의 아들을 가로챌 수도 있다는 건 전혀 생각지 못했거든. 만약 빈민 수용소장이 소렐 영감의 아들을 가정교사로 데리고 갔으면 얼마나 뽐내고 다녔을까? 그런데 우리 집에 가정교사로 오더라도 성직자가 될 수 있는 건가?"

이런 생각을 하다가 레날 씨는 소렐 영감이 일하는 것을 발견했다. 그는 시장을 보고도 별로 반가운 기색이 없었다. 그러나 아들 쥘리앵을 가정교사로 들이고 싶다는 말에는 놀랐다. 그리고 반가워했다. 하지만 겉으로는 기분을 드러내지 않았다. 그러면서도 속으로 자기 아들 같은 변변찮은 아이에게 연봉 3백 프랑에다 식사와 의복까지 제공하겠다는 이유가 무엇인지 궁리하느라 바빴다.

소렐 영감은 의복에 대해 조건을 덧붙였는데 레날 씨는 흔쾌히 승낙했다. 그러면서 당장에 결정을 하려고 했다. 하지만 교활한 영감은 그 자리에서 확답하기를 거절했다. 시장은 당황했다. 좋은 조건에 얼씨구나 하고 받아들일 거라고 생각했는데 소렐 영감은 아들과 의논한 뒤 결정을 내리겠다고 했다.

수력 제재소는 시냇가에 있는 허름한 건물이었다. 제재소에 가까이 가자 소렐 영감은 아들을 큰 소리로 불렀다. 그러나 대답이 없었다. 단지 톱으로 켤 소나무를 무거운 도끼로 네모나게 다듬고 있는 거인처럼 큰 두 아들만 보였다. 그들에게는 아버지의 목소리가 들리지 않았다.

소렐 영감은 창고 쪽으로 갔다. 하지만 쥘리앵은 보이지 않았다. 그러다 무심코 대들보를 보았는데 쥘리앵이 거기에 있었다. 기계를 살피지 않고 그 위에 걸터앉아 책을 보고 있었던 것이다.

이것은 소렐 영감에게 울화통이 터지는 일이다. 형들과는 다르게 일을 하기에 걸맞지 않은 가냘픈 체격은 어쩔 수 없다고 해도 아들의 책 읽는 버릇은 참을 수가 없었다. 소렐 영감은 글자라고는 한 번도 본 적이 없는 무식쟁이였다. 몇 번이나 불렀지만 아들은 대답이 없었다. 요란한 톱 소리 때문이 아니라 책 읽는 데 정신이 팔렸기 때문이었다. 영감은 대들보에 올라가 아들을 냅다 후려쳤다. 그러자 쥘리앵은 들고 있던 책을 냇물에 빠뜨렸다. 냇물에 빠진 책은 나폴레옹의 《세인트헬레나의 일기》였다. 소렐 영감은 다시 한 번 쥘리앵을 후려쳤다. 그러자 쥘리앵은 아래로 떨어졌다. 하마터면 기계 위로 떨어져 몸이 잘려 나갈 뻔했다.

"이 망할 놈아. 하라는 일은 안하고 쓸데없이 책만 읽냐! 정 읽고 싶으면 저녁때 사제 집에 가서 읽으란 말야."

쥘리앵은 눈물을 글썽였다. 아파서가 아니라 소중한 책을 잃어서였다. 그러면서 무슨 일이 있나 하며 아버지와 함께 집으로 향했다.

열여덟이나 열아홉 살이 되어 보이는 쥘리앵은 자그마한 체구의 젊은 이로 세련되지는 않지만 섬세하고 품위가 있었다. 그리고 깊은 생각과 정열을 간직하고 있었다. 날씬한 그의 모습은 경쾌해 보였다. 얼굴이 파리한 그는 식구들에게 멸시를 받으며 자랐다.

쥘리앵은 아버지와 형들을 증오했다. 광장에서 놀 때도 늘 얻어맞았다. 쥘리앵의 외모에 반해 그와 달콤한 이야기를 주고받던 처녀들도 일 년을 넘기지 못했다. 많은 사람들로부터 약골이라고 놀림을 받던 쥘리앵은 언젠가 플라타너스 나무 문제로 시장과 용감하게 담판을 벌였던 늙은 군의관을 좋아했다.

그 군의관은 소렐 영감에게 하루 품삯을 주면서까지 쥘리앵을 데리고 가서 라틴 어와 역사를 가르쳐 주었다. 군의관은 죽을 때 전쟁에서 받은 훈장과 연금의 미수금, 그리고 3, 40권의 책을 쥘리앵에게 주었다. 그 책들 중에서 쥘리앵이 가장 아끼던 것이 바로 오늘 냇물에 빠뜨린 책이었다. 집 안으로 들어선 쥘리앵은 또 아버지의 억센 손아귀에 어깨를 잡히자 얻어터지는 줄 알고 부르르 몸을 떨었다.

교 섭

"자, 똑바로 이야기해 봐, 이놈아. 어떻게 레날 부인을 알게 되었지? 언제부터 그 부인과 이야기를 했느냐 말야."

"말을 해 본 적이 없어요. 교회 밖에서는 부인을 만난 적도 없고요."

"그러면 네가 부인을 힐끗힐끗 쳐다보았겠지?"

"정말 그런 적이 없어요. 아버지도 아시다시피 전 교회에서 하느님밖에 생각하지 않아요."

쥘리앵은 위선적인 표정으로 말했다. 다시 얻어맞지 않으려면 이렇게 하는 것이 좋겠다고 생각했기 때문이다.

"너한테 물어도 소용이 없겠지. 어쨌든 너를 다른 곳에 보내게 되었으니 다행이야. 너 같은 놈이 없어지면 공장도 제대로 돌아갈 게다. 어서 보따리나 꾸려라. 레날 시장 댁에 데려다 줄 테니."

"그 집 하인이 되는 건 싫어요."

"이 녀석아, 누가 너보고 하인을 하라고 했냐?"

"그럼 누구랑 밥을 먹나요?"

그 집 하인들과 밥 먹는 것을 못마땅하게 생각한 것은 쥘리앵답지 않았다. 그는 자기의 성공을 위해서는 어떤 고통도 참아 내겠다고 생각했었다. 그는 책을 성공의 조건으로 알았다. 쥘리앵은 굉장한 기억력을 가지고 있었다. 셀랑 사제에게 자기의 미래가 달려 있다는 것을 깨닫고 그는 사제의 마음을 사기 위해 《신약 성서》를 모두 라틴 어로 외우기까지 했다.

다음 날, 레날 씨는 아침 일찍 사람을 보내 소렐 영감을 오도록 했다. 소렐 영감은 이런저런 변명을 늘어놓고 온갖 불평을 하며 요리조리 물어 보고는, 자기 아들이 주인 내외와 함께 식사를 하고 손님이 있는 날에는 다른 방에서 아이들과 함께 식사를 하게 될 것임을 알아 냈다. 영감은 시장이 자기 아들을 원한다는 것을 알고 더 많은 조건을 요구했다. 영감은 아들이 묵을 방을 보여달라고 했다. 아주 깨끗한 방이었다.

"그럼, 이제 의논할 일은 한 가지밖에 없군요. 자, 급료는 얼마나 주시겠습니까?"

"그건 어제 이야기하지 않았나요? 3백 프랑을 주겠다고 말이오. 그 정도면 과하지 않소?"

"그렇다면 좀더 좋은 자리를 알아 보아야겠는데……."

결국 소렐 영감의 꾀로 일 년에 4백 프랑을 받게 되었다. 그것도 매달 초에 선불로 말이다.

소렐 영감은 집으로 돌아와 아들을 찾았다.

"이 건달 같은 놈아. 냉큼 짐을 싸서 시장 집으로 가지 못해!"

쥘리앵은 아버지에게 맞지 않은 것을 다행으로 여기고 급히 집을 나섰다. 시장 집으로 가다가 교회에 들렀다. 그는 성공을 위해서는 위선이 필요하리라고 생각했다. 이러한 위선적인 모습을 갖게 된 것은 쥘리앵이 여러 가지 곡절을 겪어 왔기 때문이다. 그는 성직자가 되기로 결심했었다. 그래서 사제 앞에서 언제나 경건한 모습만 보였다. 겉으로 얌전한 쥘리앵은 출세를 위해서라면 어떤 고통도 감수하겠다는 의지가 있었다.

쥘리앵이 사제가 되려는 것도 출세를 위해서였다. 쥘리앵은 출세를 위해서는 먼저 베리에르를 떠나야 한다고 생각했다. 어릴 때부터 쥘리앵은 언젠가는 파리로 가서 그 곳 귀부인에게 관심을 받을 거라는 상상을 했다. 쥘리앵은 무일푼의 보나파르트가 칼로써 세계를 다스렸다는 사실을 잊은 적이 없다. 사제가 되기로 결심하고 나서 약 2년 동안 신학공부를 했다.

그는 열아홉 살이었지만 너무 몸이 약해서 열일곱 살도 못 되어 보였다. 교회 안은 어둡고 쓸쓸했다. 그는 가장 깨끗한 의자에 앉아 기도를 마치고 레날 씨 집으로 갔다. 집이 보이자 쥘리앵은 겁이 났다. 철대문이 열려 있었는데 그 문이 어마어마해 보였다.

마음이 산란한 사람은 쥘리앵뿐만이 아니었다. 레날 부인도 마찬가지였다. 부인은 낯선 남자를 상상하며 혼란에 빠져 있었다. 부인은 지금까지 아이들과 같이 잤다. 하지만 이제 아이들은 가정교사와 자야 한다. 부인은 막내아들만큼은 자기가 재우고 싶다고 말했지만 레날 씨는 그녀의 부탁을 들어주지 않았다. 부인은 세상에 둘도 없는 불쾌한 모습의 더벅머리 가정교사를 상상했다. 그 더벅머리가 라틴 어를 안다는 것만으로 우쭐대며 자기 아이들을 함부로 대하고 야단칠 것을 생각하니 마음이 괴로웠다.

첫 만남

레날 부인은 정원으로 통하는 유리문을 열고 나가려다 어떤 시골뜨기를 보았다. 얼굴이 핼쑥하고 어린애 같고 방금 울고 난 것 같았다. 청년의 얼굴이 매우 희고 두 눈이 너무 부드러워 레날 부인은 처음에 어떤 처녀가 남자로 변장을 하고 자기네 집에 구걸을 하러 온 것으로 생각했다. 청년은 문 옆에 서서 망설이고 있었다.

"어떻게 왔지요?"

쥘리앵은 애교가 넘쳐 흐르는 레날 부인의 시선과 마주치자 두려움에서 다소 벗어날 수 있었다. 그리고는 부인의 아름다움에 넋을 잃고 자기가 이 곳에 온 이유도 까맣게 잊어버렸다.

레날 부인이 다시 묻자,

"가정교사로 왔습니다."

라고 말했다.

부인은 어안이벙벙했다. 두 사람은 한동안 서로를 바라보았다. 쥘리앵은 지금까지 이렇게 멋진 옷을 입은 여자를 본 적이 없었다. 더구나 이토록 눈부시게 아름다운 여자가 말을 걸어 준 일도 없었다.

레날 부인은 시골뜨기 청년의 붉게 상기된 두 뺨 위에 눈물방울이 맺혀 있는 것을 보고는 소녀처럼 웃었다. 부인은 가정교사에 대해 지나치게 걱정했던 자신을 생각하고 웃은 것이었다.

'초라하고 꾀죄죄한 신학생이 아이들을 꾸짖고 때리려고 온 줄 알았는데, 이 젊은이가 가정교사라니…….'

"선생께서 우리 아이들에게 라틴 어를 가르쳐 주신다고요?"

쥘리앵은 자기를 선생이라고 부르는 것에 놀라 대답을 못하고 있다가 이윽고 어물어물 대답했다.

"예."

"당신은 아이들을 지나치게 야단치지는 않겠죠?"

"야단친다고요? 그렇지 않습니다."

"아이들에게 잘해 주신다고 약속해 주세요."

"그럼요. 약속합니다."

"안으로 들어가실까요?"

레날 부인은 겁에 질린 듯한 얼굴로 자기를 따라오는 쥘리앵의 모습이 너무 귀여웠다. 부인은 믿음직한 가정교사를 만난 것 같아 행복했다. 그리고 다시 물었다.

"선생은 라틴 어를 잘 하시나요?"

이 말이 쥘리앵의 자존심을 건드렸다. 그래서 냉정한 태도로 이렇게 말했다.

"그렇습니다. 저는 라틴 어를 사제님 못지않게 잘 합니다. 때로는 사제님보다 더 잘 한다는 소리도 들었습니다."

레날 부인은 쥘리앵이 깜찍하게 생겼다고 생각했다. 부인이 쥘리앵에게 다가가 말했다.

"저, 아이들이 공부를 잘 못하더라도 때리지 마세요. 처음 며칠 동안만은요."

쥘리앵은 부인의 애원에 가까운 듯한 상냥한 말에 조금 전까지 상해 있던 자존심은 단번에 잊어버렸다. 레날 부인의 얼굴이 그의 얼굴에 닿을 듯 가까이에 있었다. 부인이 입고 있는 옷에서 향기로운 냄새가 났다. 가난한 시골뜨기인 그로서는 놀라운 경험이었다.

"염려하지 마십시오. 부인의 분부대로 하겠습니다."

이것으로 아이들에 대한 부인의 불안은 모두 사라졌다.

레날 부인은 잠시 후에 쥘리앵의 뛰어난 용모에 감탄했다. 여자처럼 생긴 용모와 부끄러워하는 모습과 수줍은 성격이 아주 귀여웠다.

"선생은 나이가 몇 살이에요?"

"곧 열아홉이 됩니다."

"우리 큰아이는 열한 살입니다. 그러니 당신과는 친구라고 해도 좋겠군요. 알아듣도록 말로 타일러 주세요. 한번은 남편이 그 아이를 때리려고 한 적이 있었어요. 그랬더니 일주일 동안이나 앓았답니다. 손을 약간 댄 것뿐이었는데 말예요."

쥘리앵은 이 집 아이들이 자기와는 다르다고 생각했다. 늘 아버지와 형들에게 맞기만 했던 쥘리앵은 '돈 있는 사람들은 무척 행복하구나.' 하고 생각했다.

"선생 이름은?"

"쥘리앵 소렐입니다. 저는 난생 처음 남의 집에 와서 두렵습니다. 부인께서 잘해 주십시오. 잘못이 있어도 용서해 주시고요. 저희 집은 너무 가난해서 저는 학교에도 다니지 못했습니다. 레지옹 도뇌르 훈장을 받은 군의관과 셸랑 사제 말고는 누구와도 이야기해 본 적이 없습니다."

이렇게 말하면서 쥘리앵은 점점 차분해졌다. 그는 레날 부인을 차근차근 뜯어볼 수 있었다. 레날 부인은 우아했고 흠잡을 데가 없었다. 마치 스무 살 안팎으로 보였다.

그 때 레날 씨가 방에서 나왔다. 그는 점잖은 태도로 쥘리앵에게 말했다.

"아이들과 만나기 전에 나와 잠깐 이야기할까요?"

그는 쥘리앵을 방으로 들어오게 했다. 레날 부인도 따라 들어갔다.

"사제에게 당신 이야기를 들었소. 아주 훌륭한 젊은이라고 말이오. 여기서는 모두 당신에게 정중할 거요. 내 마음에 들면 당신이 나중에 자립할 때 조금 도와드릴 작정이오. 그러니 앞으로 당신 가족이나 일가 친척, 친구들은 만나지 마시오. 그 사람들의 행실은 우리 아이들 교육에 맞지 않소."

쥘리앵이 하인의 안내를 받아 자기 방을 둘러보러 나갔을 때, 레날 씨는 부인에게 가정교사 인상이 어떠냐고 물었다. 부인은 자기도 모르게 본심을 감추었다.

"저는 저 시골뜨기 청년이 썩 마음에 들지 않아요. 너무 잘해 주면 버릇없이 뻔뻔해질 것 같아요. 한 달도 못 되어 다른 데로 간다는 소리가 나오지나 않을지 모르겠군요."

"간다고 하면 내버려 둡시다. 그 때쯤이면 온 장안이 레날 시장이 가정교사를 두었다는 사실을 알게 될 테니까."

잠시 후 쥘리앵이 돌아왔고 레날 씨는 아이들을 불렀다. 쥘리앵은 레날 씨가 깜짝 놀랄 만큼 멋지게 자기 소개를 했다.

"나는 여러분에게 라틴 어를 가르치러 왔습니다. 여기 성서가 있습니다. 이 책은 예수 그리스도의 이야기를 담은 《신약》입니다. 나는 앞으로 이것을 여러분에게 암송시킬 것입니다. 오늘은 우선 내가 암송을 해 보겠습니다."

장남 아돌프가 책을 집었다.

"마음대로 아무 데나 펼쳐요. 그리고 어느 구절이라도 좋으니 처음 한 마디만 일러 줘요. 그러면 그만 하라고 할 때까지 나머지 부분을 암송하겠습니다."

아돌프는 책을 펼치고 어느 부분을 골라 첫 마디를 읽었다. 그러자 쥘리앵은 그 페이지를 라틴 어로 줄줄 암송했다. 레날 씨는 의기양양해져서 아내를 바라보았다. 아이들 역시 눈이 휘둥그레졌다.

레날 씨는 자존심이 슬슬 상했다. 그래서 자기가 알고 있는 라틴 어를 생각해 보다가 호라티우스의 시 한 구절을 간신히 암송했다. 쥘리앵은 성서 이외에는 암송하지 못했다. 그래서 눈살을 찌푸리고 말했다.

"나는 사제가 될 사람입니다. 그런 세속의 시를 읽는 것은 스스로 금합니다."

하지만 레날 씨는 호라티우스의 시를 몇 구절 더 인용하고는 그 시인이 어떤 시인인지를 아이들에게 설명해 주었다. 하지만 아이들은 아버지의 말은 귓등으로도 듣지 않고 오직 쥘리앵만 쳐다보았다. 하인들까지도 쥘리앵이 암송하는 것을 구경했다. 쥘리앵은 시간을 오래 끄는 것이 좋겠다고 생각했다. 그리고 막내아들 스타니슬라에게 말했다.

"이번에는 동생이 한 구절을 지적해 줘요."

동생은 으쓱해서 어떤 구절의 처음 한 마디를 겨우 읽어 냈다. 이번에도 쥘리앵은 그 장을 모두 암송했다.

그 때, 노르망디 준마를 산 빈민 수용소장 발르노 씨와 군수 샤르코드 모지롱 씨가 들어왔다.

이 두 사람이 소문을 퍼뜨린 덕분에 그날 밤, 베리에르의 주민들은 쥘리앵의 놀라운 실력을 보려고 레날 씨 집으로 몰려왔다. 그의 명성은 삽시간에 온 거리에 퍼졌다. 그래서 며칠 후 레날 씨는 다른 사람에게 쥘리앵을 빼앗길까 봐 2년간의 계약을 맺자고 제의했지만, 쥘리앵은 쌀쌀맞게 대답했다.

"계약서에 서명을 해도 시장님께서 그만두라고 하면 저는 언제든 그

만두어야 합니다. 저만 일방적인 의무에 묶이는 계약은 할 수 없습니다.”

쥘리앵은 이 집에 와서 한 달도 못 되어 레날 씨까지도 자신을 존경하게 만들었다. 그는 모든 일을 요령 있게 꾸려 나갔다.

친 화 력

아이들은 쥘리앵을 좋아했다. 그러나 쥘리앵은 아이들을 사랑하지 않았다.

그의 생각은 다른 곳에 있었다. 아이들이 무슨 짓을 하든 그는 상관하지 않았다. 냉정하고 올바르며 침착했다.

그가 온 뒤로 집안 분위기도 많이 달라졌다. 쥘리앵은 사람들의 사랑을 받았다. 하지만 쥘리앵은 그를 받아들인 상류 사회를 증오했다. 그일원이 되었다고 해도 쥘리앵은 언제나 그들 중에서 말석을 차지할 뿐이었다. 때때로 화려한 파티가 있었다. 그럴 때면 그는 모든 것을 저주하고 싶었지만 꾹 참았다. 언젠가 성 루이의 날에 발르노 씨가 으스대는 것을 본 쥘리앵은 그 꼴을 참을 수 없어 아이들을 돌본다는 핑계로 그 자리를 빠져 나왔다.

그 일이 있기 며칠 전, 쥘리앵은 기도서를 암송하며 숲 속을 혼자 걷고 있었다. 그 때 저쪽에서 두 형이 걸어오는 것을 보았다. 하지만 피할 수가 없었다. 형들은 동생이 입은 좋은 옷과 맵시, 자기들을 향한 멸시에 비위가 상해 피투성이가 되도록 동생을 때려 주었다. 쥘리앵은 정신을 잃고 숲 속에 쓰러졌다.

발르노 씨와 군수, 레날 부인이 산책을 나왔다가 쓰러진 쥘리앵을 발견했다. 레날 부인은 그가 죽은 줄 알고 몹시 놀랐다. 레날 부인을 좋아하는 발르노 씨가 질투할 정도로 부인은 놀라고 걱정하였다.

레날 부인의 하녀 엘리자는 쥘리앵을 사랑했다. 엘리자는 기회만 있으면 부인에게 쥘리앵의 이야기를 했다. 이 사실을 안 쥘리앵은 한층더 자기 몸맵시에 신경을 썼다. 발르노 씨는 신학도가 몸치장을 하는 것은 돼먹지 않은 짓이라며 빈정대었다.

레날 부인은 쥘리앵이 예전보다 엘리자와 많이 이야기한다는 것을 알았다. 그리고 그 이유가 쥘리앵에게 내의가 별로 없기 때문이라는 것을 알게 되었다. 내의가 네 벌밖에 없어서 옷을 자주 빨아야 했던 것이다.

레날 부인은 쥘리앵의 가난에 충격을 받았다. 설마 그 정도까지 가난할까 했던 것이다. 부인은 그에게 옷을 선물해 주고 싶었지만 남편이 어떻게 생각할지가 걱정되었다. 이 문제로 고민한 부인은 결국 쥘리앵에게 내의를 선물하고 싶다고 남편에게 말했다.

그랬더니 레날 씨는,

"쓸데없는 걱정을 하는군. 선물이라니 가당치도 않아."

하고 말했다.

레날 부인은 남편의 이런 태도가 마음에 들지 않았다. 부인은 남편의 그런 일면을 쥘리앵이 오기 전까지는 전혀 몰랐었다. 부인은 차츰 쥘리앵의 가난을 동정하게 되었다. 레날 부인은 쥘리앵이 오기 전까진 아이들에게만 주의를 기울여 왔다. 아이들 중에 누가 아프기라도 하면 깜짝깜짝 놀랐다.

처음에는 이런 고통을 혼자 견디기가 어려워 남편에게 이야기해 보았다. 그러면 남편은 여자의 어리석음에 대한 속담을 들먹이며 너털웃음을 터뜨리거나 어깨를 으쓱거렸을 뿐이었다. 그럴 때마다 레날 부인의 가슴은 칼로 도려 내는 것같이 아팠다.

부인은 자기 고민을 누구에게도 말하지 않았다. 자존심이 너무 세어서 친구인 데르빌 부인에게도 말하지 않았다. 레날 부인이 알고 있는 남자는 자기 남편과 발르노 씨, 군수 샤르코 드 모지롱 씨가 전부였다. 야비하고 금전이나 지위, 명예에만 관심을 갖는 것이 남자라고 생각했다.

그런데 한갓 시골뜨기인 쥘리앵이 그들과 달리 고상하고 기품 있는 영혼을 가진 사람으로 생각되었다. 부인은 쥘리앵이 갖고 있는 매력으로 기쁨을 맛보았다. 너그러움, 고상한 영혼, 인간미는 이 젊은 신학도를 제외하고는 아무에게도 없다고 생각하기에 이르렀다.

아마도 파리에서라면 레날 부인과 쥘리앵의 위치는 분명히 결정되었을 것이다. 그 곳은 자유분방한 곳이기 때문이다. 하지만 시골인 이 곳은 달랐다. 시골에서는 모든 일이 천천히 이루어지게 마련이다.

어느 날, 레날 부인은 대담하게도 쥘리앵과 함께 베리에르의 서점에 갔다. 그 서점은 자유주의적이라는 악평이 있었지만 개의치 않고 아이들을 위해 10루이어치의 책을 샀다. 그 책들은 모두 쥘리앵이 갖고 싶어하는 것들이었다.

부인은 이렇게 쥘리앵에게 선물을 했고 그것으로 행복했다. 한편 쥘리앵은 서점에 있는 엄청난 양의 책을 보고 놀랐다. 그의 가슴은 뛰었다. 레날 부인의 마음은 아랑곳하지 않는다는 듯이 어떻게 하면 몇 권이라도 더 얻을 수 있을까를 생각했다. 그리고 그는 아이들의 작문 연습을 위해 명사들의 이야기를 사 주어야 한다고 레날 씨를 설득하면 되겠다고 생각했다.

얼마 후, 쥘리앵은 레날 씨와 이야기를 하다가 책에 대해 건의했다. 하지만 레날 씨는 시장의 신분으로서 허락할 수 없다고 말했다. 왜냐하면 그 서점 주인은 자유주의자이기 때문에 시장이 그의 재산을 늘려 준다는 얘기가 나돌면 좋지 않다는 것이었다. 물론 아들이 사관학교에 가게 되면 자유주의자들의 책들을 몇 권 읽어 두는 것도 좋을 것이라 생각되지만 혹시 있을 문제를 생각하고 안 된다고 말했다.

며칠 후 쥘리앵은 이 집에서 가장 신분이 낮은 사람을 시켜서 책을 사거나 예약 신청을 하는 게 어떻겠냐고 제안했다.

"괜찮은 생각이군."

"그런데 소설류는 절대로 사지 못하게 하십시오. 그런 책이 집에 들어오면 하녀나 하인들까지도 타락하게 되니까요."

쥘리앵이 말했다.

"그래, 또 정치에 대한 팸플릿도 위험하다는 것을 잊지 말아야지."

레날 씨는 거만한 태도로 한 마디 덧붙였다. 그는 가정교사가 궁리해 낸 총명한 제안에 대한 감탄을 감추고 싶었던 것이다.

쥘리앵은 이 곳에 와서도 아버지의 제재소에서 일하던 때와 마찬가지로 함께 있는 사람들을 경멸했다. 그런데도 자존심이 상할 만큼 번번이 사람들의 이야기를 통 알아듣지 못하는 경우가 있었다.

쥘리앵이 마음을 터놓고 이야기하는 사람은 군의관뿐이었다. 그가 해준 이야기는 이탈리아 원정과 외과의학에 관한 것들이었다. 쥘리앵은 그것밖에 아는 것이 없었다. 그래서 레날 부인과 같은 지붕 아래 살면서도 부인과 단둘이 있을 때는 침묵이 흘렀다. 레날 부인도 쥘리앵과 단둘이 있을 때 그가 어쩔 줄 몰라하는 것을 눈치챘다. 그리고 쥘리앵의 당황해하는 모습은 결코 남녀 간의 어색함에서 비롯된 것이 아님을 본능적으로 알았다.

돈 많고 신앙이 좋은 큰어머니의 상속인이며 열여섯 살에 가문 좋은 신사와 결혼한 레날 부인은 아직까지 연애를 경험하지 못했다. 아니 해 볼 기회조차 없었다.

부인에게 연애에 관한 이야기를 해 준 사람은 부인의 고해 신부인 셸랑 신부뿐이었다. 셸랑 신부는 발르노 씨가 부인의 뒤를 좇아다니는 행동이 바로 연애라고 가르쳐 주었다. 이 말에 부인은 연애를 아주 추악한 것으로 생각하게 되었다. 연애란 말만 들어도 더럽고 난잡한 것으로 생각되었다. 어쩌다 소설 속에 소개된 연애는 예외이거나 혹은 세상에 있을 수 없는 일이라고 여겼다. 남녀 간의 사랑에 대해서는 무지했기 때문에 쥘리앵에게 정신이 팔려 더없이 행복했지만 자기의 양심에 조금도 거리낌이 없었다.

레날 부인의 질투

레날 부인은 늘 행복했다. 그것은 부인의 타고난 성격이었다. 그러나 가끔씩 그 행복이 깨질 때가 있었다. 바로 하녀 엘리자 때문이었다.

최근에 엘리자는 어떤 사람의 재산을 상속받게 되었다. 그녀는 셸랑 사제에게 고해를 하러 가서 쥘리앵과 결혼할 생각이라고 고백했다. 사제는 이것을 쥘리앵에게 기쁘게 말했지만 그는 엘리자의 청혼을 단호하게 거절했다. 쥘리앵은 거절의 이유를 신부에게 고백했다. 엘리자의 품행이 단정하지 않다는 것이었다. 사제는 쥘리앵의 태도에서 세속적인 냄새를 느꼈다. 그래서 쥘리앵에게 말했다.

"여보게, 천성에 맞지 않는 성직자가 되느니 교양 있는 시골 신사가 되어 남에게 존경을 받으며 사는 게 어떻겠나?"

한편 엘리자는 레날 부인에게 쥘리앵과의 결혼 문제로 생긴 고민을 털어놓았다. 그 후 레날 부인은 병에 걸린 것 같았다. 열이 나는 것 같았고 밤에는 잠도 오지 않았다. 머릿속에 엘리자와 쥘리앵이 살림을 차리는 모습이 떠올랐다. 조촐한 살림이지만 즐겁게 살아가는 모습이 눈

앞에 그려졌다. 레날 부인은 자기가 미치는 게 아닌가 생각했다. 그날 밤, 엘리자는 부인의 마음도 모르고 더욱 구슬프게 울었다. 엘리자는 울면서 레날 부인에게 말했다.

"전 청혼한 사람에게 거절당했어요. 심술궂은 사람들이 제 험담을 하는 것을 듣고 그 말을 그대로 믿은 거예요."

"누가 거절했다는 거지?"

레날 부인은 숨이 막힐 듯한 심정으로 물었다.

"쥘리앵 씨지 누구겠어요? 쥘리앵은 사제님 말씀도 듣지 않아요. 사제님은 하녀 노릇을 한다고 해서 착실한 처녀를 거절할 수야 없지 않겠느냐고 말씀하셨어요. 쥘리앵 아버지도 목재상에 지나지 않고, 그분도 여기에 오기 전까지는 그저 그랬잖아요."

레날 부인은 쥘리앵이 딱 잘라 거절했느냐, 나중에 다시 마음을 바꿀 여지는 없느냐고 몇 번이나 물어 보았다. 그러면서 쥘리앵의 마음이 확고하다는 것을 알고 속으로 무척 기뻐했다.

"내가 한번 힘을 써 볼게. 쥘리앵 선생에게 직접 이야기해 볼게."

다음 날, 부인은 한 시간이 넘도록 쥘리앵을 설득했다. 물론 그녀의 본심은 아니었다. 쥘리앵이 엘리자의 청혼도 재산에도 관심이 없다는 것을 알고 부인은 행복했다.

'내가 쥘리앵을 사랑하는 걸까?'

하고 그녀는 생각했다. 다른 때 같으면 이런 감정은 그녀를 양심의 가책으로 떨어뜨렸겠지만 지금은 아니었다.

저녁이 되어 식사를 알리는 종이 울렸다. 부인은 아이들을 데리고 오는 쥘리앵의 목소리를 듣고 얼굴이 빨개졌다. 그리고는 얼굴을 붉힌 것에 대해 두통 때문에 얼굴에 열이 난다고 둘러대었다.

"여자는 모두 이렇다니까. 항상 어딘가가 고장이 나 있어."

레날 씨는 너털웃음을 지으며 말했다. 부인은 레날 씨의 이런 농담에 익숙해 있으면서도 그 날은 기분이 언짢았다.

귀족들의 생활 습관을 흉내내는 데 급급한 레날 시장은 봄이 되자 베르지로 거처를 옮겼다. 한 폭의 그림 같은 고딕식의 교회에서 얼마쯤 떨어진 곳에 레날 시장의 저택이 있었다. 저택과 이어진 과수원은 산책하기에 좋았다. 그 과수원 끝에는 우람한 호두나무가 한 그루 있었다. 부인은 나무를 올려다보며 자주 감탄을 했다. 그럴 때면 레날 시장은,

"이런 쓸모 없는 호두나무를 가지고 뭘 그래! 이 나무 때문에 밀의 수확량이 줄어들고 있어. 나무 그늘 밑에서는 밀이 잘 자라지 않거든."

하며 면박을 주었다.

이 곳으로 온 다음 날, 레날 시장이 시청으로 일을 보러 갔을 때 그녀는 즉시 자기 돈으로 인부를 고용했다. 과수원에서 호두나무까지 자갈을 깔면 아침부터 신발을 적시지 않고 산책을 할 수 있다고 쥘리앵이 말해 주었던 것이다. 레날 부인은 쥘리앵과 함께 인부들을 인솔하면서 하루 종일 즐겁게 보냈다.

시청에서 돌아온 시장은 자갈길을 보고 놀랐다. 그리고 자기와 의논도 하지 않고 그런 공사를 한 것에 대해 투덜거렸다. 그러다가 자갈길을 만든 비용을 부인이 대었다는 것을 알고 겨우 마음을 가라앉혔다.

부인은 아이들과 함께 과수원에서 나비를 잡았다. 쥘리앵은 레날 부인과 아이들이 잡은 나비를 채집해서 진열 상자에 핀으로 고정시켜 주었다. 이것으로 부인과 쥘리앵은 화젯거리가 생겨서 어쩌다 둘이 있을 때 침묵하지 않아도 되었다. 화젯거리라야 별로 중요한 것도 아니었지만 이 두 사람은 함께 이야기할 때가 즐거웠다. 쥘리앵은 형과 아버지가 보이지 않는 베리에르를 떠나온 것이 즐거웠다.

레날 시장이 자주 베리에르 시내로 나갈 때마다 쥘리앵은 대담하게도 나폴레옹의 책을 읽었다. 그는 책을 읽으면서 행복과 위안을 얻었다.

무더위가 닥치자 그는 정원의 보리수 아래를 자주 거닐었다. 어느 날 밤, 쥘리앵은 이 별장으로 놀러온 레날 부인의 사촌과 수녀원 동창인 데르빌 부인과 함께 있을 때 막힘없이 이야기를 했다. 그런 자신을 보고 쥘리앵은 기뻤다. 그러다가 우연히 나무 의자 등에 얹혀 있던 레날 부인의 손에 쥘리앵의 손이 닿았다. 그녀는 얼른 손을 움츠렸다. 쥘리앵은 그 손을 잡아 주는 것이 자기의 의무라고 생각했다.

모 멸 감

다음 날, 쥘리앵은 아이들의 공부를 일찍 마쳤다. 쥘리앵은 오늘 밤에는 무슨 일이 있어도 레날 부인의 손을 잡았을 때 그녀가 손을 움직이지 못하게 해야겠다고 생각했다. 쥘리앵의 가슴은 몹시 두근거렸다.

이윽고 밤이 되었다. 폭풍우가 올 듯한 날씨였다. 레날 부인과 데르빌 부인은 밤늦게까지 산책을 했다. 쥘리앵도 함께 산책을 했다. 그리고 세 사람은 의자에 앉았다. 쥘리앵 옆에 레날 부인이 앉고 그 옆에 데르빌 부인이 앉았다. 쥘리앵은 레날 부인의 손을 잡을 생각을 하니 이야기가 통 귀에 들어오지 않았다.

별장에서 큰 시계가 아홉 시를 알린 지 한참이나 지났지만 쥘리앵은 손을 잡지 못했다. 그는 열 시가 되면 부인의 손을 잡겠다고 다짐했다. 마침내 열 시가 되었고 쥘리앵은 레날 부인의 손을 잡았다. 부인은 즉시 손을 빼려고 했지만 쥘리앵은 손을 놓지 않았다.

부인이 몇 번 손을 빼려고 했지만 소용이 없었다. 결국 부인은 손을 쥘리앵에게 맡겨 버렸다. 쥘리앵은 기쁨에 넘쳤다. 그는 데르빌 부인이

손을 잡은 것을 눈치채지 못하도록 큰 소리로 이야기를 해댔다. 레날 부인은 걱정이 되어 목소리가 기어들어갔다. 데르빌 부인이 몸이 불편하면 들어가 쉬는 것이 어떻겠냐고 물었다. 쥘리앵은 혹시 부인이 집으로 들어갈까 봐 손을 꽉 잡았다. 레날 부인은 일어서려다 말고 다시 주저앉아서,

"좀 불편하지만 바람을 쐬는 게 나을 것 같아."

라고 말했다.

쥘리앵과 데르빌 부인이 이야기하는 동안 레날 부인은 그에게 손을 맡긴 채 아무것도 생각할 수 없었다.

이튿날 아침, 쥘리앵은 다섯 시에 잠이 깼다. 어제 자기가 한 일을 생각하며 행복에 겨워했다. 점심 식사를 알리는 종이 칠 때까지 쥘리앵은 나폴레옹에 대한 책을 읽었다. 그는 들뜬 기분으로,

"부인에게 사랑한다고 말해 줘야지."

라고 중얼거렸다.

식당으로 가다가 그는 레날 시장의 화난 얼굴과 마주쳤다. 두 시간 전에 시에서 돌아온 시장은 쥘리앵이 오전 내내 아이들을 가르치지 않은 것에 화가 난 것이다. 시장은 쥘리앵에게 몹시 화를 내었다. 처음에 쥘리앵은 레날 씨가 퍼붓는 말을 귀담아 듣지 않았다. 그러나 시간이 지나도 변함이 없자 참다못해 퉁명스럽게 쏘아붙였다.

"몸이 불편했습니다."

그런 말을 들었다면 누구라도 화를 냈을 것이다.

시장은 쥘리앵을 내쫓고 싶었지만 섣부르면 일을 그르친다는 것을 알고 마음을 억눌렀다.

'이 녀석, 우리 집에 와서 유명해졌으니, 쫓아 내면 발르노가 이놈을 고용할지도 몰라.'

레날 부인은 점심을 먹고 나서 산책을 하고 싶다며 쥘리앵의 팔을 잡고 다정하게 몸을 기댔다. 그러면서 쥘리앵에게,

"부자란 다들 그래요. 그러니 이해해 줘요?"

라고 말했다. 그런 태도가 쥘리앵의 비위를 건드렸다. 그는 난폭하게 부인을 떼밀었다. 데르빌 부인이,

"쥘리앵 씨, 제발 참아 줘요. 누구든지 기분이 나쁠 때가 있으니까요."

라고 말했다. 쥘리앵은 경멸이 담긴 눈초리로 데르빌 부인을 쏘아보았다. 그 눈초리에 부인은 놀랐다.

"쥘리앵 씨, 성격이 무척 무서운가 봐."

그러자 레날 부인은,

"화가 나는 것도 당연하지. 우리 아이들 실력이 많이 좋아졌는데 그게 다 선생님 덕분이야. 하루쯤 내버려 두었다고 어떻게 되는 것도 아닌데, 남자들은 정말 몰인정해."

라고 말했다.

부자들에 대한 쥘리앵의 증오심이 폭발해 버릴 것 같았다. 산책을 마칠 때까지 두 여자는 계속 쥘리앵을 위로했지만 그는 한 마디도 대꾸하지 않았다.

레날 부인이 어떻게든 분위기를 띄워 보려고, 남편이 옥수숫대를 사서 침대 매트리스에 집어 넣는다는 말을 했다.

"그이는 지금 정원사와 하인들을 시켜 매트리스 속을 바꿔 넣고 있어요. 아침에 2층은 모두 바꾸었으니 이제 3층을 바꿀 차례예요."

그 순간 쥘리앵의 표정이 변했다. 그는 걱정되는 표정으로 레날 부인에게 말했다.

"도와주세요. 부인이 아니고는 할 수 없는 일입니다. 초상화를 한 장

가지고 있는데 그것을 침대 매트리스 속에 감추어 두었습니다. 지금 제 방에 들어갈 수 있는 사람은 부인뿐입니다. 창문에서 제일 가까운 침대 구석에 마분지 상자가 있을 겁니다."

"그 상자에 초상화가 있나요?"

"예, 또 한 가지 부탁이 있습니다. 제발 그 초상화를 보지 마십시오."

부인은 쥘리앵을 도와주기로 했다. 3층으로 올라가는 부인의 얼굴은 창백했다. 그러나 쥘리앵을 위한 일이라면 힘이 되고 싶었다. 부인은 얼른 매트리스를 들어올리고 마분지 상자를 들고 급히 밖으로 나왔다. 남편에게 발각될 걱정은 사라졌다. 하지만 레날 부인은 그 상자에 든 초상화 때문에 정신을 차릴 수가 없었다.

'쥘리앵에게 여자가 있는 거야. 이 초상화는 분명히 여자일 거야.'

레날 부인은 질투심으로 고통스러웠다. 쥘리앵이 다가오더니 부인에게 고맙다는 인사도 하지 않고 상자를 빼앗다시피 가지고 가서는 상자를 불태워 버렸다.

쥘리앵은 마음속으로 중얼거렸다.

'큰일날 뻔했어. 나폴레옹의 초상화를 시장이 보았다면 어떤 일이 벌어졌을까? 나폴레옹을 왕위 찬탈자로 증오하는 사람인데……. 거기다 나는 나폴레옹을 숭배하는 말까지 적어 놓았었지. 초상화를 발견했으면 내가 그 동안 쌓아올린 명성이 땅에 떨어지고 나는 순식간에 구렁텅이로 빠졌겠지!'

한 시간 정도 지났을 때, 비로소 쥘리앵은 레날 부인을 보았다. 그 때서야 그는 부인의 손을 잡고 진실된 마음으로 감사의 키스를 했다.

부인은 기뻐서 얼굴을 붉혔다. 하지만 동시에 초상화를 생각하니 질투가 나서 쥘리앵을 뿌리쳤다. 쥘리앵은 그녀의 행동에 순간 멍해졌다. 레날 부인도 부잣집 마님에 불과하다고 생각한 그는 그녀의 손을 놓고 아이들에게로 갔다.

매트리스의 속을 바꿔 넣는 일을 마치고 레날 씨가 아이들 방으로 들어왔다. 쥘리앵은 화난 모습으로 그에게 다가갔다.

"시장님께서 다른 가정교사를 두셨더라도 아드님의 공부가 진척되었을 거라고 생각하십니까?"

쥘리앵은 시장이 말할 틈도 주지 않고 말을 이었다.

"아니었다고 생각하신다면 하루쯤 아이들 공부를 소홀히 했다고 해서 저를 그렇게까지 비난할 수는 없을 거예요."

"그렇게 흥분할 건 없잖나?"

"흥분할 게 없다고요? 시장님이 저에게 얼마나 지독한 욕설을 퍼부었는지 생각해 보십시오."

이윽고 그는 분노에 찬 목소리로 외쳤다.

"이 곳이 아니라도 갈 곳은 많습니다!"

레날 시장은 한숨을 쉬며 말했다.

"좋아. 자네 요구를 받아들이지. 내일부터 연봉을 5백 프랑 주기로 하지."

쥘리앵은 기가 막혀 웃음이 나왔다.

'부자들은 모든 문제를 돈으로 해결하는 모양이지?'

그는 화가 난 얼굴로 레날 시장을 거들떠보지도 않고 정원으로 나가 버렸다.

사랑과 야망

그 날 쥘리앵은 하루 종일 기분이 나빴다. 지칠 대로 지쳐 해가 완전히 질 때까지 외출을 하지 않다가 밤이 되어서야 정원으로 나갔다. 그

날 밤도 두 여자는 정원에서 쥘리앵을 기다렸다.

　그는 여느 때처럼 레날 부인 옆에 앉았다. 쥘리앵은 레날 부인의 손을 잡으려고 했다. 부인은 약간 망설이다가 이윽고 화난 듯이 그의 손을 뿌리쳤다. 그 때 레날 시장이 다가오는 발소리가 들렸다.

　쥘리앵은 아침에 시장에게 들었던 말이 생각나 기분이 나빠졌다. 시장은 줄기차게 정치 이야기를 하면서 분개했다. 베리에르의 두세 명의 실업가가 드디어 자기보다 부자가 되어 선거에서 자기를 방해하려고 한다고 했다. 쥘리앵은 그가 보는 앞에서 부인의 손을 잡는 것도 모욕을 주는 한 방법이라고 생각했다. 그리고는 자기 의자를 레날 부인 의자 옆으로 바짝 붙였다. 하지만 캄캄해서 그 모습을 숨길 수 있었다.

　그는 대담하게 부인의 옷 소매 밖으로 드러난 아름다운 팔에 손을 뻗었다. 가슴이 두근거렸다. 그는 부인의 팔에 키스를 했다. 부인은 몸을 떨었다. 남편이 바로 옆에 있어서 레날 부인은 쥘리앵의 손을 급히 밀어 냈다. 레날 시장은 여전히 정치 이야기를 했다. 레날 부인은 자기가 가정교사를 사랑하게 된 것이 아닐까 생각했다.

　'남편이 있는 내가 다른 남자를 사랑하다니! 이렇게 미칠 것 같은 마음은 남편에게서는 느껴보지 못했어. 그러나 어쩌면 내 감정은 그저 쥘리앵을 존경하는 것일지도 몰라. 이 미칠 것 같은 마음도 일시적인 것일 거야.'

　부인은 지금까지 맛보지 못한 정열 때문에 혼란스러웠다. 그녀에게는 모든 것이 뜻밖이었다.

　쥘리앵은 방으로 들어와 책을 펼쳤다. 그의 단 하나의 행복은 좋아하는 책을 읽는 것이었다. 그러나 곧 책을 놓았다. 나폴레옹의 승리에 대한 생각을 하다가 부자의 콧대를 꺾어 놓겠다고 마음먹었다.

　'친구를 만나러 간다고 하고 사흘 동안 휴가를 얻어야겠어. 만약 안

된다고 하면 계약을 파기해야지.'

한편, 레날 부인은 잠을 이룰 수가 없었다. 쥘리앵에 대한 미칠 듯한 사랑과 유부녀로서 자기의 행동이 도덕적이지 않다는 것으로 갈등했다. 엎치락뒤치락하다가 그녀는 쥘리앵을 다시 만나면 아주 쌀쌀맞게 대해 주어야겠다고 생각했다. 자기는 결혼한 여자로서 그 남자를 사랑하면 안 된다는 생각이 승리한 것이다.

여 행

다음 날 아침 다섯 시, 레날 부인의 얼굴을 보기 전에 쥘리앵은 레날 시장에게 사흘 동안의 휴가를 얻었다. 쥘리앵은 부인을 만나고 싶었다. 그 아름다운 손이 자꾸 머릿속에 떠올랐다. 그래서 정원으로 나갔지만 부인은 좀처럼 나오지 않았다. 그녀는 2층 창문에서 쥘리앵을 내려다보다가 이윽고 정원으로 나갔다. 늘 창백한 부인의 얼굴이 발갛게 상기되어 있었다. 쥘리앵은 성큼성큼 부인에게 갔다. 숄 밑으로 보이는 부인의 팔에 쥘리앵은 넋을 잃었다. 그 순수하면서 사람을 매료시키는 아름다움은 하층민들에게서는 볼 수 없는 것이었다.

부인의 지적인 아름다움을 보는 동안 쥘리앵은 그 때까지 알지 못했던 그녀의 정신 세계를 보는 것 같았다. 그러나 부인은 다소 쌀쌀한 태도를 보이려고 했다. 그 쌀쌀함은 너무 뻔뻔하게 굴지 말라는 태도 같았다. 그래서 쥘리앵은 미소를 거두었다. 이 부자 여자의 눈에 자기가 어떻게 비칠까를 생각했다.

레날 부인은 그의 굳어진 표정을 보고 당황했다. 그들은 가볍게 인사만 하고 헤어졌다.

그 때 큰아이가 레날 부인에게 달려왔다.

"엄마, 우리 오늘부터 공부 쉰대요. 선생님이 여행을 가신대요."

그 말에 부인은 온몸이 얼어붙는 것 같았다. 그녀는 떠나는 쥘리앵의 뒷모습을 하염없이 바라보았다.

아침식사 시간에 레날 씨와 데르빌 부인은 쥘리앵의 여행을 화제 삼았다. 휴가를 달라고 했을 때 쥘리앵의 얼굴에서 무언가 심상치 않은 것을 느꼈다고 시장은 말했다. 레날 부인은 어쩌면 쥘리앵이 이 집을 나갈지도 모른다는 생각이 들었다. 그녀는 울고 싶었다. 그래서 머리가 아프다며 자기 방으로 올라갔다.

쥘리앵은 아름다운 경치를 즐기며 여행길에 올랐다. 이윽고 높은 산마루에 이르렀다. 친구인 젊은 목재상 푸케가 살고 있는 마을로 내려가려면 이 길을 지나야 했다. 쥘리앵은 산비탈에 있는 조그만 언덕을 발견했다.

산 아래 내려다보이는 마을들. 쥘리앵은 자기의 미래를 그려 보았다.
'난 출세할 거야. 하층민으로 사는 것이 싫어. 모두가 깜짝 놀랄 일을
해 보이겠어.'

쥘리앵은 언덕에서 잠시 쉬었다. 그 곳에 앉아 자기의 생각을 정리했
다. 그리고 자기의 생각을 글로 옮겼다.

이윽고 해가 지기 시작했다. 푸케가 사는 마을까지 가려면 8킬로미터
는 더 가야 했다. 쥘리앵은 언덕을 내려가기 전 자기가 쓴 모든 것을 불
살라 버렸다. 자기의 야심을 적은 글을 누군가가 보게 된다면 좋지 않
은 일을 겪을 수도 있기 때문이다. 밤늦게 푸케의 집 문을 두드렸다. 푸
케는 한창 장부를 정리하고 있었다.

"레날 시장과 다투기라도 했어? 이 시간에 웬일이야?"

쥘리앵은 자기가 겪은 일을 이야기해 주었다.

"쥘리앵, 나랑 함께 일하는 게 어때? 자넨 나보다 수학을 잘 하니 장부 기입을 맡게. 이래 봬도 나는 돈을 많이 벌고 있어. 나 혼자 하기는 벅차고 동업자를 찾으려 했지만 사람들을 믿을 수 있어야지. 바로 얼마 전에는 어떤 녀석에게 6천 프랑이나 벌게 해 주었다고. 어때? 나랑 같이 일해 보겠어?"

쥘리앵은 푸케의 제의에 기분이 나빠졌다. 자신이 그가 꿈꾸는 것과는 다른 차원이었기 때문이다. 푸케는 그런 쥘리앵의 마음도 모르고 계속 자기 사업 이야기를 했다. 쥘리앵은 어떻게 해야 할까 고민하다가 적당한 핑계거리를 찾았다.

다음 날 쥘리앵은 자기는 신앙의 길로 들어서는 것을 천직으로 알고 있기 때문에 제의를 받아들일 수 없다고 말했다. 그 말에 푸케는 어안이 벙벙해졌다. 그는 쥘리앵이 당연히 자기의 제의를 받아들일 거라고 믿었기 때문이다.

"이봐! 잘 생각해 보라고. 일 년에 4천 프랑씩 나눠 가질 수 있어!"

그러나 무슨 말도 쥘리앵의 결정을 바꿀 수는 없었다. 푸케는 친구의 머리가 좀 돌지 않았나 생각했다.

'이렇게 좋은 제의를 거절하다니……'

사흘째 되는 날 이른 아침, 쥘리앵은 친구와 작별을 하고 다시 며칠 전 쉬었던 언덕 위에서 시간을 보냈다. 그러나 마음이 편하지 않았다. 친구의 제의가 아무래도 마음에 걸렸던 것이다.

거짓 고백

쥘리앵은 휴가를 보내면서 레날 부인을 전혀 생각하지 않았다는 것을 깨달았다.

'그녀와 나 사이는 너무 먼 거리가 있어. 부인은 나를 거의 노동자 아들처럼 취급했어. 그 전날 밤 나에게 손을 맡긴 것을 후회한다는 표시지…… 하지만 그 손은 정말 아름다웠어.'

쥘리앵이 없는 동안 레날 부인은 하루하루가 견디기 힘들었다. 그녀는 정말 병이 나고 말았다. 데르빌 부인이 쥘리앵이 돌아왔다고 전해 주었다.

"몸도 불편한데 오늘은 정원에 나가지 말고 집 안에 있어. 눅눅한 공기는 몸에 해로워."

데르빌 부인은 늘 수수한 옷차림이었던 레날 부인이 살이 비치는 양말을 신고, 파리에서 주문한 구두를 신고 있는 것을 보고 놀랐다. 지난 3일 동안 레날 부인의 유일한 낙은 화려한 옷감으로 여름 옷을 재단해서 엘리자에게 만들게 한 것이었다. 옷은 쥘리앵이 돌아왔을 때 완성되었다. 레날 부인은 그 옷을 입었다. 데르빌 부인은 레날 부인의 그 모습을 보고 그녀가 가정교사를 사랑한다는 사실을 눈치챘다.

레날 부인이 쥘리앵에게 물었다.

"우리 아이들을 버리고 다른 곳으로 가실 건가요?"

쥘리앵은 레날 부인의 떨리는 목소리와 애틋한 눈빛에 놀랐다.

'이 여자는 나를 사랑하고 있구나. 그러나 마음이 약해진 탓일 거야. 자존심이 다시 회복되고 내가 나가지 않을 거라고 생각하면 또 오만해지겠지……'

쥘리앵은 레날 부인과 자기의 신분이 다르다는 사실을 다시 한 번 생각했다.

"이처럼 좋은 가문에서 자란 아드님과 헤어지기 싫지만 아무래도 떠나야 할 것 같습니다."

'이처럼 좋은 가문'이라는 말은 귀족들이 쓰는 말버릇으로, 쥘리앵은 최근에 이 말을 배웠다. 그가 이렇게 말한 것은 상류 사회에 대한 빈정거림이었다.

레날 부인은 쥘리앵이 자기 집을 나갈지도 모른다는 말에 가슴을 도려 내는 듯한 아픔을 느꼈다.

밤이 되었다. 쥘리앵은 정원에서 레날 부인의 팔에 키스하고 그 손을 잡았다. 레날 부인은 쥘리앵이 자기 손을 잡았는데도 전혀 기쁘지 않았다. 쥘리앵을 잃는 게 아닌가 걱정이 되었기 때문이다.

저녁식사 시간이 되었다. 쥘리앵은 장난을 치고 싶은 생각이 들었다. 자기와는 신분이 다른 여자들을 꼻려 주고 싶었다. 두 여자 중 한 여자를 자기 여자로 만들어야겠다고 생각했다. 어쩌면 데르빌 부인이 낫겠다는 생각을 했다. 그녀가 더 마음에 들어서라기보다 데르빌 부인은 누추했던 목재상 아들일 때의 자신의 모습을 보지 못했고, 학식 면에서 존경 받는 가정교사로만 알고 있기 때문이었다.

그러나 곧 쥘리앵은 데르빌 부인을 포기하기로 했다. 그녀가 이미 레날 부인이 자기를 마음에 두고 있다는 것을 알고 있을 거라고 여겼기 때문이다. 그래서 레날 부인으로 결정했다. 쥘리앵의 허영심에 발동이 걸렸다. 그는 언젠가 출세를 하게 되었을 때, 누군가가 왜 비천한 가정교사를 했느냐고 물으면 사랑을 위해 가정교사가 되었다고 말하기 위해서라도 레날 부인을 정복하기로 했다.

자정이 가까워져 모두 돌아갈 때 레날 부인이 쥘리앵에게 나직이 속삭였다.

"정말 우리 집에서 나갈 작정인가요?"

"저는 떠나야 합니다. 당신을 너무 사랑하기 때문입니다. 이것은 당신과 나 모두에게 큰 잘못입니다. 당신은 유부녀고 나는 성직자가 될 사람이기 때문입니다."

그날 밤, 두 사람은 전혀 다른 밤을 보냈다. 레날 부인은 한 번도 사랑에 빠진 적이 없어서 현재의 행복이 그저 새롭기만 했다. 며칠 전까지만 해도 남편에게 정결과 순종을 맹세한 사실조차 잊어버렸다. 현재의 어떤 슬픔이나 미래의 어떤 불안도 그녀의 사랑을 위협하지 못했다.

그러나 쥘리앵은 모든 일을 우연이나 순간적인 생각에 맡길 수가 없었다. 그는 레날 부인을 정복하기 위한 작전을 세웠다.

다음 날, 쥘리앵은 레날 시장에게 사제를 만나러 베리에르에 간다고 말하고 집을 나가 한밤중까지 돌아오지 않았다. 베리에르에 가 보니 셀랑 사제가 이삿짐을 꾸리고 있었다. 셀랑 사제는 면직되었던 것이다. 부사제 마슬롱이 그 후임이 되었다.

그것을 보고 마음이 바뀌어 친구 푸케에게 편지를 써야겠다고 생각했다. 성직자가 되는 것이 천명이라고 여기며 친구의 권유를 받아들이지 않았는데 이렇게 초라하게 셀랑 사제가 물러나는 것을 보니 아예 성직에 들어가지 않는 것이 좋을 듯했기 때문이다. 쥘리앵은 도피처를 만들어 놓고 싶었다. 여차하면 장사를 할 수 있도록 말이다.

새벽 두 시의 만남

다음 날도 저녁때가 되자, 쥘리앵은 엉뚱한 생각을 하기에 이르렀다. 무모한 일이지만 그는 레날 부인에게 말했다.

"부인, 새벽 두 시에 부인 방으로 가겠어요. 드릴 말씀이 있습니다."

쥘리앵의 무례한 통고에 레날 부인은 화가 난 듯,

"안 돼요."

라고 대답했다. 쥘리앙은 그 짧은 대답에 자기를 향한 경멸이 서려 있는 것 같았다.

자정이 되어 헤어졌다. 기분이 언짢은데다 모욕까지 당한 느낌이 들어 쥘리앵은 잠을 이룰 수가 없었다. 한 마디로 몹시 비참한 기분이 들었다. 그 때 시계가 두 시를 쳤다. 닭 우는 소리를 듣고 예수를 부인했던 것을 회개한 베드로처럼 쥘리앵은 그 시계 소리에 정신이 퍼뜩 들었다.

'두 시에 레날 부인 방으로 가기로 했지.'

방문을 열고 밖으로 나갔을 때 쥘리앵은 몸이 떨리고 무릎에 힘이 빠졌다.

레날 시장의 방문 앞에 가서 귀를 기울이니 코 고는 소리가 들렸다. 그는 좁은 복도를 지나 레날 부인 방에 도착했다. 떨리는 손으로 문을 열었다. 방 안은 밝았다.

쥘리앵이 들어오는 것을 보고 레날 부인은 깜짝 놀랐다. 그리고는 어찌할 바를 몰라 서 있었다. 레날 부인은 쥘리앵을 나무랐다. 그러나 그는 부인의 발 아래 무릎을 꿇고 부인의 무릎을 끌어 안았다.

밀 회

레날 부인은 놀라움과 흥분으로 마음이 산란했다. 날이 밝아오자 레날 부인은 쥘리앵에게 그만 돌아가라고 부탁하면서 자기도 모르게 이런 말이 튀어나왔다.

"만약 남편이 눈치챈다면 모든 것이 끝장이에요."

쥘리앵은 레날 부인의 방을 나왔다.

점심이 되어 다시 레날 부인과 얼굴을 대했을 때 쥘리앵은 차분해 보였다. 그러나 레날 부인은 귀까지 빨개지지 않고는 쥘리앵을 볼 수가 없었다. 그리고는 자기가 쥘리앵보다 나이가 열 살이나 많다는 것이 걱정되었다. 혹 자기에게 금방 싫증을 느끼게 되지 않을까 걱정되었다.

정원으로 나갈 때 부인은 쥘리앵의 손을 꽉 잡았다. 부인을 보는 쥘리앵의 눈빛이 뜨거웠다. 그 눈빛은 레날 부인의 마음에 위로가 되었다. 그렇다고 부인의 불안이 완전히 사라진 것은 아니었다.

점심을 먹으면서 레날 시장은 아무것도 눈치채지 못했다. 그러나 데르빌 부인은 레날 부인이 유혹을 이길 수 없음을 알아차렸다.

레날 부인은 쥘리앵과 단둘이 있게 될 때를 애타게 기다렸다. 아직도 자기를 사랑하느냐고 묻고 싶었다. 그날 밤 정원으로 나갔을 때 데르빌 부인은 일부러 레날 부인과 쥘리앵 사이에 앉았다. 레날 부인과 쥘리앵은 손을 잡을 수 없게 되었다. 레날 부인은 뜻밖의 이 방해자 때문에 마음이 더욱 불안해지고 서운했다. 그래서 일찌감치 헤어져 자기 방으로 들어갔다. 그러나 쥘리앵이 보고 싶어 견딜 수가 없었다. 그래서 그의 방에 가서 귀를 기울였다.

하인들이 아직 모두 잠든 시간이 아니어서 부인은 자기 방으로 다시 돌아왔다.

밤 한 시가 되자 쥘리앵은 자기 방을 빠져 나와 레날 씨가 잠이 든 것을 확인하고 레날 부인의 방으로 갔다. 그날 밤은 어젯밤보다 더 즐거웠다.

쥘리앵은 불과 며칠 사이에 정열에 눈을 떴다. 그리고 전혀 경계를 하지 않고 자기의 생각이나 불안을 부인에게 이야기했다. 쥘리앵의 고백으로 부인의 사랑은 더욱 뜨거워졌다.

'이 남자를 사로잡은 여자는 없었어.'

레날 부인은 행복했다. 그리고 용기를 내어 상자 속에 든 초상화에 대해 물어 보았다. 쥘리앵은 남자의 초상화라고 말해 주었다. 레날 부인은 진정으로 쥘리앵을 사랑했고 그 행복에 푹 젖었다.

하지만 쥘리앵은 달랐다. 그의 사랑은 어디까지나 야심을 위한 수단이었다. 쥘리앵의 행복은 상대를 소유했다는 기쁨이었다. 더구나 불우하고 가난한 남자인 자기를 사랑하는 여자가 기품 있고 아름다운 여자라는 것에 기분이 좋았다. 레날 부인이 가지고 있는 사회적 지위가 자신까지 높여 주는 것처럼 여겨졌다.

레날 부인은 쥘리앵에게 상류계층의 예의범절을 가르치는 것에서 정신적인 만족을 얻었다. 그도 그럴 것이 쥘리앵은 재능이 풍부한 청년으로 군수와 발르노 씨조차도 칭찬하는 사람이었다. 그러나 데르빌 부인만은 그를 칭찬할 수가 없었다. 데르빌 부인은 이성을 잃은 여자는 약이 되는 충고마저도 귀찮게 여긴다는 것을 알고 이유도 밝히지 않은 채 떠나 버렸다.

처음에 레날 부인은 친구가 떠나는 것에 눈물을 흘렸지만 하루 종일 쥘리앵과 함께 있을 수 있다는 것에 금방 슬픔을 잊었다.

수석 부시장

어느 날, 해질 무렵에 쥘리앵은 사람들의 눈을 피해 과수원에 깊숙이 들어가 레날 부인 옆에 앉아 그가 영웅으로 여기는 나폴레옹 이야기를 했다.

"나폴레옹은 프랑스의 청년들을 위해 하느님이 보낸 사람이에요. 누가 그의 대를 이을 수 있을까요?"

그 말에 레날 부인은 이마를 찌푸렸다. 그 모습을 보고 쥘리앵은 정신을 차렸다. 그리고는 자기가 한 말은 친구한테서 들은 말이라고 했다. 레날 부인은 그런 사람과는 친구가 되지 말라고 말했다.

'이 여자는 친절하고 온순하고 나를 좋아하지만, 역시 상류 계층의 여자야. 나폴레옹을 좋아할 리가 없어.'

레날 부인이 쥘리앵의 말을 듣고 놀란 것은 교육을 받은 하층 계급 청년들 가운데 또다시 로베스피에르 같은 자가 나올 수 있다는 말을 사교계 인사들로부터 자주 들었기 때문이었다.

쥘리앵은 냉정을 되찾자, 밤마다 레날 부인을 만나러 가는 것이 위험하다는 생각이 들었다. 오히려 부인이 자기 방에 오는 편이 낫다고 여겼다. 같이 있는 것을 들키더라도 그녀라면 적당한 핑계를 만들 수 있기 때문이다.

쥘리앵은 레날 부인의 영향으로 다른 책들도 읽게 되었다. 그리고 상류 사회 사람들이 이야기하는 내용들도 많이 알게 되었다. 그리고 베리에르에서 일어나는 일들도 자세히 알게 되었다. 처음 알게 된 것은 2년 전 브장송의 지사를 둘러싼 음모였다. 그것은 므와로가 이 지방의 수석 부시장에 앉으려는 음모였다. 그의 경쟁 상대는 거부인 공장 경영자로, 므와로의 측근은 그 사람을 차석 부시장으로 떨어뜨리려 했다. 이 문제가 중요한 것은 베리에르 중앙로가 국도가 되는 바람에 거리의 동쪽을 넓혀야 했기 때문이다. 므와로 씨는 철거해야 될 집이 세 채가 있었는데, 자기가 수석 부시장이 되고 나중에 시장까지 되면 여러 모로 경제적인 이득을 얻을 수 있었다.

세월은 물같이 흘렀다. 레날 부인은 쥘리앵의 명석함에 늘 놀랐다. 그리고 그가 장차 큰 인물이 되리라는 것을 확신하였다. 그녀는 쥘리앵이 법왕이 된 모습이나 재상이 된 모습을 그려 보곤 했다.

국왕의 베리에르 행차

9월 3일 화요일 밤 열 시, 기마 헌병 하나가 베리에르로 달려와 시민들의 잠을 깨워, 국왕이 일요일에 이 곳을 방문한다는 소식을 알렸다. 온 시내가 떠들썩해졌다. 누가 경호대의 지휘를 할 것인가?

레날 시장은 가옥의 철거 문제 때문에 므와로 씨가 적임자라고 생각했다. 이번 기회를 통해 얼굴을 알리면 수석 부시장의 자리에 앉을 자격이 될지도 모르기 때문이다.

그러나 므와로 씨는 말을 한 번도 타 본 적이 없었다. 그는 겁쟁이로 서른여섯 살이 될 때까지 말을 타지 못했다.

시장은 므와로 씨에게 경호대 지휘를 부탁했다. 므와로는 말을 탈 것을 생각하니 소름이 끼쳤으나 순교자가 되겠다는 심정으로 그 역할을 승낙했다. 레날 부인은 쥘리앵과 함께 아이들을 데리고 베르지에 갔다.

베르지 별장에는 결혼한 여자들이 가득했다. 레날 부인에게 자기 남편을 경호대로 써 달라고 시장에게 말해 달라는 부탁을 하러 온 것이다. 레날 부인은 그들을 모두 돌려보냈다. 그리고 므와로 씨와 군수 모지롱 씨를 설득하여 쥘리앵을 경호원으로 임명하도록 만들었다.

경호대가 다 짜여지자 시장은 대규모의 종교 의식을 준비했다. 국왕이 성 클레망의 묘지를 참배하고 싶다고 했기 때문이다. 시장은 될 수 있는 대로 많은 성직자를 끌어 모아 자기의 힘을 과시하고 싶었다. 그러나 신임 사제 마슬롱 씨가 전임 사제인 셸랑 신부의 참석을 막으려고 했기 때문에 어려움이 생겼다. 조상 대대로 이 지방의 영주였던 라몰 후작이 국왕의 수행원이었는데, 바로 그와 셸랑 신부와는 30년 동안 친분을 맺어 온 사이였다. 따라서 베리에르에 오면 셸랑 신부를 찾을 것이 뻔했다. 레날 시장은 사흘 동안 마슬롱 씨를 설득하여 결국 셸랑 신부를 참석시키려고 초청장을 보냈다. 셀랑 신부는 초청의 요건으로 쥘리앵을 보좌 신부로서 함께 참석하게 해 달라고 했다.

마침내 일요일이 되었다. 아침부터 수천 명의 농부들이 거리를 가득 메웠다. 날씨는 화창했다. 오후 세 시가 되자 사람들이 술렁거리기 시작했다. 그리고 멀리 떨어진 바위산 꼭대기에서 봉화가 올랐다. 국왕이 이 도시로 들어섰다는 신호였다. 축포가 연달아 발사되었다. 시민의 반 이상이 지붕 위로 올라갔고, 여자들은 발코니로 몰려 나왔다.

경호대가 행진을 시작했다. 그 화려한 모습에 사람들은 탄성을 질렀다. 겁에 질려 말을 탄 므와로 씨를 보고 사람들은 낄낄거렸다. 그러다 어떤 한 남자에게 주의가 쏠렸다. 날씬한 몸매의 수려한 용모를 가진 미소년에게 말이다. 사람들은 그 남자가 누구인지 궁금했다. 그러다가 별 볼일 없는 제재소 집 아들이란 것을 알고 이런 일은 있을 수 없다며 비난하기 시작했다. 그리고는,

"노동자 녀석을 자기 집 가정교사라고 해서 경호대를 시키다니……."

하면서 시장을 비난했다.

그러나 이러한 사정을 모르는 쥘리앵은 그 순간 너무도 행복했다. 그리고 지금 자기는 나폴레옹의 연락 장교로 포병 중대에 작전을 명령하고 있는 거라는 상상을 했다. 또 한 사람, 그보다 더 행복한 사람이 있었다. 바로 레날 부인이었다. 부인은 쥘리앵의 너무 멋진 모습에 이루 말할 수 없는 행복감에 젖었다.

경호대의 행진과 시장의 축하연설이 끝나자 일만 명이 넘는 사람들이 '국왕 폐하 만세!'를 외쳤다.

국왕은 새 성당 앞에 마차를 세웠다. 점심을 마치고 성 클레망 묘지를 참배할 예정이었다. 쥘리앵은 셀랑 신부의 보좌 역할을 하기 위해 부지런히 말을 달려 레날 시장 집으로 가서 검은 옷으로 바꾸어 입고

돌아왔다.

주교는 라몰 후작의 조카로, 임명된 지 얼마 되지 않았는데 국왕에게 묘지를 참배시키는 역할을 했다. 그런데 그 주교가 모습을 나타내지 않았다. 성직자들은 모두 안절부절못했다. 그리고 신부들 중에서 가장 나이가 많은 셸랑 신부가 가서 주교를 모셔 오자고 결정했다. 쥘리앵은 셸랑 신부와 함께 주교를 만나러 갔다.

주교의 방 앞에 있던 시종들은 주교를 면회할 수 없다고 퉁명스럽게 말했다. 자존심이 상한 쥘리앵은 무례한 태도에 화가 나 손수 수도원의 방을 돌아다니며 주교를 찾았다. 드디어 어떤 방에 있는 젊은 신부를 보았다. 쥘리앵은 처음에는 그가 주교의 비서인 줄 알았다. 그러나 곧 그가 주교라는 사실을 알았다. 그 젊은 신부의 가슴에 주교용 십자가가 있었기 때문이었다.

'나보다 대여섯 살밖에 많아 보이지 않는데……'

"무슨 일이십니까?"

"아, 예. 저는 셸랑 신부의 심부름으로 주교님을 모시러 왔습니다."

"아, 어쩌죠? 아직 주교가 머리에 쓰는 관이 도착하지 않아서요."

"허락을 하시면 제가 그 관을 가져오겠습니다."

"그래 주시겠습니까?"

쥘리앵은 주교관을 찾아다가 주교에게 주었다. 쥘리앵은 자기가 주교관을 갖고 가는 것이 자랑스러웠다.

"음, 어떻습니까? 잘 어울립니까?"

"아주 잘 어울리십니다."

"국왕 폐하는 높은 성직자들만 보아 오셨어요. 나이가 젊다는 이유로 경박한 인상을 주고 싶지 않아요."

"……"

"준비가 다 됐어요."

이윽고 셸랑 신부는 나이 많은 신부 두 사람을 거느리고 장엄한 조각을 한 큰 문으로 들어섰다. 주교는 천천히 홀을 가로질렀다. 신부들이 그 뒤를 따라 행렬을 이뤘다. 쥘리앵은 셸랑 신부의 시종자로서 주교 바로 옆에서 걸었다. 이 행렬은 수도원의 긴 복도를 걸어갔다. 나이 어린 주교를 보고 쥘리앵은 야심이 다시 솟구쳤다.

'저렇게 젊은데 주교라니……. 주교는 수입이 얼마나 될까? 아마 2,30만 프랑은 될 테지.'

사제들의 행렬이 성당으로 들어갔다. 쥘리앵은 주교 근처에 서 있었기 때문에 국왕을 가까이에서 볼 수 있었다.

깊어 가는 사랑

국왕의 행차 이후 소문과 억측이 온 시장을 덮었다. 그중에서도 목재상의 아들 쥘리앵이 경호원에 발탁된 것에 제일 말이 많았다. 사람들은 레날 부인과 쥘리앵이 그렇고 그런 사이일 거라고 의심했다.

베르지로 돌아온 지 얼마 되지 않아 레날 씨의 막내아들이 심한 열을 내며 앓아누웠다. 레날 부인은 깊은 회한에 사로잡혔다. 유부녀인 자기가 쥘리앵을 사랑했기 때문에 하느님이 벌을 주신 것이라고 생각했다. 쥘리앵은 부인을 설득하려고 했지만 소용이 없었다. 아들의 병세는 날이 갈수록 악화되었다. 레날 부인은 더욱 심해진 죄책감으로 잠을 제대로 자지 못했다.

단둘이 있을 때 쥘리앵은 레날 부인에게 이렇게 말했다.

"제발 부탁입니다. 다른 사람들에게는 아무 말도 마십시오. 고민이 있으면 저에게만 털어놓으세요."

레날 부인은 하느님의 노여움을 가라앉히는 방법은 쥘리앵을 사랑하지 않거나 아이를 죽게 내버려 두는 것, 둘 중에 하나를 택하는 것이라고 믿었다. 그러나 쥘리앵을 도저히 포기할 수는 없었다. 그래서 더욱 괴로웠다. 그녀는 쥘리앵에게 떠나 달라고 부탁했다.

"제발, 이 집에서 나가요. 당신이 이 집에 있으면 우리 아이는 죽게 될 거예요. 내가 당신을 사랑해서 하느님께서 벌을 내리신 거예요."

쥘리앵은 레날 부인이 아들을 사랑하는 만큼 자기를 사랑한다는 것을 알고 놀랐다.

어느 날 밤, 아이는 중태에 빠졌다. 열이 너무 올라서 자기 아버지조차 알아보지 못했다. 갑자기 레날 부인이 남편의 발 아래 몸을 던졌다. 부인은 남편에게 매달리며 외쳤다.

"제 말을 들어 보세요. 사실대로 말할게요. 이 애가 죽는다면 그것은 내 탓이에요. 나는 파멸해야 돼요. 그래야 하느님의 노여움을 풀 수 있어요."

레날 시장이 머리가 좋았다면 부인의 말이 무엇을 의미하는지 눈치챘을 것이다. 그러나 그는 자기 무릎에 매달린 아내를 뿌리치며,

"소설 같은 이야기는 집어치워요. 쥘리앵, 날이 밝거든 의사를 불러 오게나."

하고 말하고는 자기 방으로 가 버렸다. 레날 부인은 맥없이 쓰러졌다. 쥘리앵이 부축하여 일으켜 주려 했지만 레날 부인은 뿌리쳤다.

레날 시장이 방으로 돌아간 뒤 쥘리앵은 부인의 모습을 지켜보았다. 그녀는 아이의 작은 침대에 머리를 얹고 꼼짝도 하지 않았다.

'이 여자를 위해 어떻게 해야 할까? 결단을 내려야 할 것 같아. 헤어질까? 아니야. 그건 부인을 더 힘들게 만들 뿐이야. 말을 험악하게 하

는 남편에게 그녀를 남기고 가면 부인은 정신이 돌아 창 밖으로 몸을 던질 수도 있어. 그렇다고 이대로 있다가는 남편에게 모든 사실을 고백할지도 몰라. 어쩌면 고약한 마슬롱 사제에게 모든 것을 고백할지도 모르지. 슬픔과 하느님에 대한 두려움으로 이 여자는 그 사제놈에게 매달릴 것이 틀림없어.'

"어떻게 하면 부인을 도울 수 있겠습니까? 당신에게 도움이 된다면 나는 목숨도 버릴 수 있어요. 이만큼 당신을 사랑한 적은 없어요. 이제 비로소 당신의 가치를 알고 진실한 사랑에 빠지게 되었어요. 제가 이곳을 떠난다면 내 마음은 괴로울 거예요. 그러나 나의 괴로움은 아무래도 괜찮아요. 제가 떠나고 나서 당신이 남편에게 모든 것을 고백할까 봐 걱정돼요. 그게 제일 염려가 돼요. 그렇게 되면 파멸하게 돼요. 온 동네가 우리 일로 떠들썩하게 되고 모두 당신을 나쁜 여자라고 말할 거예요."

"그거야말로 내가 바라는 일이에요. 나는 차라리 고통을 받는 게 나아요. 아이를 살릴 수 있다면 그 편이 좋아요."

"나도 그 벌을 나누어 받게 해 주세요. 수도원이라도 들어가 엄격한 생활을 할까요? 그러면 하느님이 노여움을 푸시지 않을까요? 아아……. 내가 당신 아들 대신 병에 걸릴 수만 있다면……."

"당신도 이 아이를 사랑하고 있었군요. 당신은 나의 유일한 친구예요. 당신이 이 아이의 아버지라면, 그렇다면 당신을 사랑해도 죄가 되지 않을 텐데……."

"이제부터는 오누이처럼 지낼까요? 그게 속죄의 길이 아닐까요?"

"그럼 당신을 남동생처럼 사랑하는 건가요? 그게 과연 가능할까요?"

"당신이 하라는 대로 하겠어요. 원하신다면 일주일 동안 당신 곁을 떠나 우리 두 사람의 죄를 갚기 위해 나 스스로를 괴롭혀 보겠어요.

그 대신 우리 둘 사이의 일을 남편에게 고백하지 않겠다고 약속해 주세요. 당신이 약속을 어기면 우리는 두 번 다시 볼 수 없어요."

그녀는 약속을 했고 쥘리앵은 떠났다. 그러나 이틀이 지나자 그녀는 그를 다시 불렀다.

"당신이 안 계시면 맹세를 지킬 수가 없어요. 당신이 곁에서 눈빛으로라도 말해 주지 않으면 나는 남편에게 이야기하고 말 것 같아요."

마침내 하느님은 이 불행한 어머니를 가엾게 여기셨다. 아들은 조금씩 위험한 고비에서 벗어났다. 그러나 이미 그녀의 이성은 자기의 죄가 얼마나 큰 것인가를 깨달았다. 그녀의 생활은 천국이면서 지옥이었다. 쥘리앵의 모습이 보이지 않을 때는 지옥이고, 그의 앞에 몸을 던졌을 때는 천국이었다.

두 사람의 행복은 지금까지와는 비교가 안 될 만큼 커졌고 사랑은 더욱 뜨겁게 불타올랐다. 그러나 두 사람의 행복에는 늘 죄의 그림자가 따랐다. 행복하고 평온하다가도 레날 부인은 갑자기 쥘리앵의 손을 잡고,

"무서워요, 지옥이 보여요!"
라고 외치곤 했다.

하녀 엘리자는 사소한 소송 때문에 베리에르에 갔다가 레날 부인을 좋아하는 발르노가 쥘리앵을 질투한다는 사실을 알았다. 그녀도 자기의 청혼을 거절한 쥘리앵을 미워하고 있었기 때문에 쥘리앵과 레날 부인과의 일을 모두 일러바쳤다. 발르노 씨는 엘리자를 통해 들은 사실에 몹시 자존심이 상했다.

자기가 6년 동안 쫓아다닌 여자, 콧대 높은 여자가 천민 아들에게 반했다는 것이 말할 수 없이 기분이 상했다. 엘리자는 덧붙여서 말했다.

"전에 쥘리앵이 나의 청혼을 거절한 것 말이에요. 그런 것도 모르고

저는 부인에게 그에게 잘 이야기해 달라고 부탁을 했으니 이런 바보
가 어디 있겠어요."

그날 밤, 레날 씨는 익명의 편지 한 통을 받았다. 그 편지에는 자기
집안에서 일어나고 있는 일이 자세히 적혀 있었다. 쥘리앵은 레날 시장
이 그 담청색 종이에 적힌 글을 읽으면서 얼굴빛이 변하는 것을 보았
다. 시장은 험악한 눈초리로 쥘리앵을 노려보았다.

익명의 투서

자정 가까이 되어 모두 살롱으로 나왔을 때, 쥘리앵은 기회를 엿보다
가 레날 부인에게 말했다.

"오늘 밤엔 만나지 말아요. 남편이 우리를 의심하고 있어요. 시장이
한숨을 쉬며 읽은 편지는 투서임이 분명해요."

그러나 어리석게도 레날 부인은 쥘리앵이 자기를 만나지 않기 위해
한 말이라고 생각했다. 쥘리앵이 방문을 잠근 것은 잘한 일이었다.

그날 밤, 레날 부인은 쥘리앵의 방 입구까지 왔다가 문이 잠긴 것을
보고 돌아갔다.

다음 날, 하녀 하나가 쥘리앵에게 책을 전해 주었다. 책 표지에는 이
탈리어로 '130페이지를 볼 것'이라고 씌어 있었다. 쥘리앵은 130페이
지를 펴 보았다. 거기에는 눈물로 얼룩진 레날 부인의 편지가 있었다.

　　어젯밤에 방에 들여보내 주시지 않았죠? 나는 가끔 당신의 마음
　　을 모르겠어요. 이젠 나를 사랑하지 않나요? 익명의 투서가 정말
　　왔나요? 그 문제로 당신과 의논하고 싶었어요.
　　　괴로운 일이지만 나는 결심했어요. 익명의 투서가 왔든 안 왔든

나는 내일, 남편에게 익명의 투서를 받았다고 말할 거예요. 그리고 그럴듯한 구실을 만들어 당신을 당신 아버지 집으로 돌려보내라고 말할 거예요. 어쩌면 우린 얼마 동안 만나지 못할지도 몰라요. 하지만 그게 가장 좋은 방법이에요. 지금으로서는 그 익명의 투서로 인한 곤란함을 피할 다른 방법이 없는 것 같아요. 내가 받은 투서가 발르노 씨에게서 온 것처럼 할 거예요. 남편에게 투서를 보낸 사람은 발르노 씨가 틀림없어요. 이 집을 나가게 되면 베리에르로 가세요. 그 곳에 가거든 이웃들과 사이좋게 지내세요.

발르노 씨와 사이가 벌어지면 안 돼요. 오히려 전보다 더 친절하게 대하세요. 그리고 어디든 가정교사로 들어가게 될 것 같다고 동네 사람들에게 말하세요. 남편은 당신이 다른 집의 가정교사로 가는 것을 참을 수 없어 할 거예요.

익명의 투서는 당신이 만들어 주세요. 책에서 단어 하나하나를 오려서 담청색 종이에 풀로 붙이세요. 그 종이는 발르노 씨한테서 얻은 종이예요. 당신의 방을 조사할지도 모르니 편지를 만들고 나서 책은 불태워 버리세요. 투서 내용은 내가 적은 대로 하세요.

레날 부인!

당신의 비밀은 모두 알려졌습니다. 나는 당신을 아직도 좋아하기 때문에 충고합니다. 그 천민의 아들과는 만나지 마십시오. 당신이 그렇게 해야 레날 시장이 자기가 받은 투서가 거짓이라는 것을 알게 될 거요. 내가 당신의 비밀을 쥐고 있다는 것을 잊지 마시길……

이 편지에 쓴 말투는 발르노 씨라는 것을 아시겠죠? 이 편지를 다 만들면 저에게 주세요. 저는 편지를 받고 마을에 나갔다 돌아올

게요. 나는 이 편지를 어떤 사람한테서 받았다며 남편에게 전해 줄 거예요. 당신은 아이들을 데리고 숲 속으로 가서 점심때까지 오지 마세요. 모든 일이 잘 되면 우리집 꼭대기에 있는 비둘기장의 탑에 흰 손수건을 내걸게요. 잘 안 될 경우에는 내걸지 않을 거예요.

레날 부인의 대처

쥘리앵은 한 시간 동안 단어를 하나하나 붙여 편지를 만들었다. 그리고 편지를 레날 부인에게 전해 주었다. 레날 부인은 쥘리앵에게 가죽 주머니를 전해 주었다.

"혹시 모르니까 이걸 산 속 적당한 곳에 묻어 주세요. 언젠가는 이것이 나의 유일한 재산이 될지도 모르니까요."

그 가죽 주머니에는 금, 다이아몬드 등이 가득 들어 있었다.

익명의 투서를 받고 레날 시장은 괴로웠다. 누가 그 편지를 보냈는지 궁금했다.

'이런 불행을 당했는데 의논할 사람이 없다니…….'

레날 시장은 마을의 유지들과 겉으로 보기에는 잘 지냈지만 알고 보면 모두 경쟁자들이었다.

'저 천민이 내 부인과 함께 있는 현장을 덮쳐서 둘 다 죽여 버릴까? 법은 내 편이야. 최악의 경우가 생겨도 수도회와 배심원들은 내 편일 거야. 아내를 죽이지 않고 망신만 주어서 쫓아낼까? 아니, 아니야. 브장송엔 아내의 큰어머니가 있어. 그 재산이 아내에게 상속되면 아내는 쥘리앵과 함께 파리로 가서 살지도 몰라. 그러면 나는 마을 사람들의 조롱거리가 되겠지. 자기 아내를 애송이 같은 가정교사에게 빼

앗긴 불쌍한 놈이라고.'

레날 시장은 머리를 식히려고 정원으로 나갔다. 한결 마음이 가벼워 지는 것 같았다.

'아니야. 마누라는 절대 놓아 주지 말자. 누가 뭐래도 나에게는 필요 한 사람이야.'

그러다 상처 받은 자존심이 머리를 쳐들었다.

'아, 차라리 아내가 죽어 버렸으면……. 그러면 웃음거리는 안 될 텐 데. 파리에 가서 얼마 동안 있어도 괜찮은데……'

몇 시간 동안 고민을 하고 산책로 모퉁이를 돌아가려고 할 때 아내가 불쑥 나타났다. 아내는 마을 쪽에서 돌아오는 길이었다.

'남편은 내 이야기를 듣고 어떻게 생각할까?'

정원으로 들어서서 남편의 모습을 보았을 때 레날 부인은 이상하게도 마음이 침착해졌다. 그녀는 편지를 남편에게 주었다. 남편은 그 편지를 펴 보려고도 하지 않고 아내를 노려보았다.

"이 편지 좀 읽어 보세요. 당신에게 신세를 졌다는 어떤 남자가 이걸 주더군요. 여보, 당신에게 부탁할 게 있어요. 가정교사를 당장 그 사 람 집으로 돌려보내 주세요."

남편의 얼굴에 기쁜 표정이 어리는 것을 보고 그녀는 안도의 한숨을 내쉬었다. 레날 씨는 입을 다문 채 편지를 자세히 읽어 보았다. 그는 편 지를 구겨 버리고 화가 난 듯 성큼성큼 걸어다니기 시작했다.

"아무튼 쥘리앵을 그만두게 하는 것이 중요해요. 얼마의 돈을 주면 납득할 거예요. 그 사람은 일자리를 어렵잖게 찾을 거예요. 발르노 씨 나 군수 모지롱 씨 댁이든 말이에요."

"무슨 바보 같은 소리요?"

"여보, 나는 이름을 더럽혔어요."

레날 부인은 매우 침착하게 자기의 의사를 표현했다. 자기가 어떻게 말하느냐에 따라 쥘리앵과 계속 살 수 있느냐, 없느냐가 달려 있기 때문이었다.

"우린 그 사람에게 잘해 주었어요. 그 사람에게 죄가 없을지도 모르죠. 하지만 그 사람 때문에 내가 모욕을 당하는 것은 참을 수가 없어요. 나는 이 말도 되지 않는 편지를 읽었을 때 그 사람이나 나, 둘 중에 한 명이 이 집을 떠나야 한다고 생각했어요."

"오히려 그것은 얘깃거리를 만들어 큰 창피를 당하게 하는 거요. 나도 당신처럼 망신을 당하게 되고, 베리에르 사람들에게 웃음거리가 되는 짓이야……. 우선 당신에게 부탁하고 싶은 것은 그 녀석하고 말을 하지 마오. 당신 성미로는 분명히 그 녀석에게 화를 낼 텐데 그렇게 되면 나와 그 친구 사이까지 틀어지게 되는 거야."

"그 사람, 실력은 있는지 모르지만 시골뜨기에 불과해요. 쥘리앵이 엘리자의 청혼을 거절한 이유가 뭔지 아세요? 엘리자가 가끔 발르노 씨를 몰래 만나러 가기 때문이에요."

"뭐라고? 그런 소리를 그 녀석이 당신에게 했단 말이오?"

"아니, 그렇게 분명하게 말은 안했지만 말투가 그랬어요. 그저 엘리자가 이따금 살짝 빠져 나가는 정도는 알고 있다는 말투로요."

"그런 일을 내가 모르고 있었다니! 그래, 엘리자와 발르노는 무슨 사이요?"

"이제 그건 옛날 일이에요. 아마 불미스런 일은 없었을 거예요. 동네 사람들에게 나와 발르노 씨 사이에 플라토닉한 사랑을 한다는 소문이 나던 무렵이에요."

"나도 당신과 발르노가 이상한 사이가 아닌가 오해한 적이 있었지."

"사교계의 여자 중에서 발르노 씨에게 편지 한두 통 받지 않은 사람은 없을 거예요.”

“그럼 당신도 받았소? 당장 보여 주시오.”

“그렇게 흥분하시면 보여 드릴 수가 없어요. 언젠가 당신이 냉정을 찾으면 그 때 보여 드릴게요.”

레날 씨는 발르노 씨의 행동에 몹시 화를 냈다. 그가 발르노의 편지를 찾으러 부인의 방으로 달려갔을 때 레날 부인은 비둘기장에 올라가 흰 손수건을 달았다.

‘쥘리앵은 이 기쁜 소식을 기다리고 있겠지. 이걸 보고 그 역시 나만큼 기뻐할 거야.’

문득 남편이 자기를 찾으러 오지나 않을까 하고 그녀는 황급히 비둘기장에서 내려왔다. 남편은 발르노 씨가 보낸 편지에서 대수롭지 않은 대목까지 신경을 쓰며 부르르 화를 내고 있었다.

“아무래도 쥘리앵을 다른 곳으로 보내는 게 좋을 것 같아요. 예절도 없고 재치도 없는 사람이에요. 자기 나름대로는 예의를 지킨답시고 매일 나한테 지나친 찬사를 하지요. 아마 소설이라도 읽고 외운 모양이에요.”

남편은 계속 편지를 읽고 있었다. 그러다가 갑자기 탁자를 탕 하고 내리쳤다.

“내가 받은 투서와 발르노 씨가 보낸 편지의 종이가 같아.”

‘이제야 눈치챘구나.’

하고 레날 부인은 생각했다. 그리고는 이런 사실에 충격을 받은 것처럼 아무 말도 없이 구석 의자에 걸터앉았다. 이것으로 승리한 것이었다.

레날 부인은 남편이 발르노 씨에게 가서 따지지 않도록 설득하느라 진땀을 뺐다.

“투서를 가지고 발르노 씨를 찾아가는 것은 베리에르뿐 아니라 브장송까지, 아니 이 지방 전체에 웃음거리가 되는 거예요. 만일 당신이 계속 고집을 피운다면 이번 겨울에 브장송 큰어머니 댁으로 가 있겠어요.”

이 말은 효과적이었다.

점심식사를 알리는 종이 울리기 전에 쥘리앵은 아이들을 데리고 돌아왔다. 식사가 끝나고 하인들이 물러간 뒤, 레날 부인은 냉담한 태도로 쥘리앵에게 말했다.

“두 주 정도 베리에르에 다녀오고 싶다고 했지요? 주인님이 가도 좋다고 했어요. 언제든지 좋으실 때 떠나세요. 하지만 아이들을 그냥 놀게 할 수는 없어요. 날마다 글짓기를 시켜서 보내 드릴 테니 고쳐 주세요.”

“휴가를 가는 것은 좋지만 일주일 이상은 곤란해.”

레날 시장이 말했다.

살롱에 단둘이 있게 되었을 때 레날 부인은 아침부터 자기가 한 일에 대해 짤막하게 이야기해 주었다.

“자세한 이야기는 오늘 밤에 하지요.”

쥘리앵은 ‘여자란 참 무서운 존재구나.’ 라고 생각했다. 그리고 이렇게 말했다.

“당신의 솜씨는 대단했어요. 하지만 오늘 밤에 만나는 것은 위험해요. 이 집에는 우리를 보고 있는 눈들이 너무 많아요. 엘리자가 나를 무섭게 증오하고 있다는 사실을 잊으면 안 됩니다.”

부패한 상류층

레날 시장은 쥘리앵에게 베리에르에 가거든 자기 집에 묵으라고 일러 두었다. 베리에르에 도착한 지 사흘째 되는 날, 지체 높은 군수 모지롱 씨가 쥘리앵을 찾아왔다. 그는 두 시간이 넘도록 프랑스의 현재 위기에 대해서 이야기했다. 그리고 나서야 자기가 이 곳에 온 목적을 말했다.

그것은 레날 시장 집에서 나와 어느 관리 집에서 가정교사를 하는 것이 어떠냐는 것이었다. 급료는 일 년에 8백 프랑이고 월급제가 아닌 일 년에 네 번 선불로 준다는 것이었다. 쥘리앵은 레날 씨에 대한 존경과 자기의 능력을 인정해 준 높으신 어른 군수에게 감사한다는 말을 했다. 군수는 쥘리앵의 재치 있는 말솜씨에 놀랐다.

그는 계속해서 쥘리앵에게서 뚜렷한 대답을 받아 내려고 했지만 허사였다.

모지롱 씨가 돌아가자 쥘리앵은 배를 잡고 웃었다. 그리고는 레날 씨에게 아홉 장이나 되는 편지를 썼다. 모지롱 씨에게서 들은 이야기를 보고하는 식이었다. 그리고 자기가 다른 곳으로 가정교사를 가는 것이 어떠냐며 레날 씨의 의견을 공손하게 물었다.

이 편지를 본 레날 시장은 쥘리앵을 가정교사로 들이려고 하는 사람이 발르노일 거라고 확신했다.

'늙은 너구리 같은 발르노! 쥘리앵을 가정교사로 데려가려고 투서까지 쓰더니, 이젠 군수까지 보내?'

상쾌한 가을 아침, 쥘리앵은 편지를 보내고 나서 가정교사 문제를 의논하기 위해 셸랑 신부를 찾아갔다.

'나처럼 가난한 청년은 성공하기가 힘들어. 하나님의 포도원에서 열심히 일하고 그 속에서 부끄럽지 않은 사람이 되기 위해서는 교육을 받아야 해. 브장송 신학교에 들어가 공부를 하려면 돈이 필요해. 그러자면 레날 씨네보다는 발르노 씨네 집에 가서 가정교사가 되는 편이 훨씬 나아.'

쥘리앵은 이런 생각을 하면서 셀랑 신부에게 갔다.

셀랑 신부의 집에 와 보니 발르노 씨의 하인이 기다리고 있었다. 그 날 오찬을 위한 초대장을 가지고 와 있었다. 쥘리앵은 그 날 처음으로 발르노의 집을 방문했다.

집에 있는 물건들은 모두 새 것이고 화려했다. 가구가 굉장히 비싼 거라며 발르노 씨는 자랑을 늘어놓았다. 쥘리앵은 이 모든 것이 천박하게 느껴졌다. 초대된 사람들은 많았다.

오찬이 시작되었다. 기분이 완전히 상한 쥘리앵은 이 식당과 벽 하나를 사이에 둔 빈민 수용소에 있는 불쌍한 사람들을 생각했다.

'지금 이 순간에도 그들은 배를 곯고 있을 텐데……'

쥘리앵은 목이 메어 음식을 먹을 수가 없었다. 아니 목이 메어 거의 말을 할 수가 없었다. 다행히 쥘리앵의 이런 마음을 알아차린 사람은 아무도 없었다. 세무관이 손뼉을 치면서 왕당을 찬미하는 노래를 부르기 시작했다.

'나도 출세하면 이런 모습이겠지? 아아. 나폴레옹이여! 전쟁터의 위험 속에 몸을 내던지고 자기의 운명을 개척하던 당신의 시대는 그 얼마나 멋이 있었던가! 그러나 이제는 비열하게도 불행한 사람을 더욱 불행하게 하면서 부귀를 꾀할 수밖에는 없어.'

한 사람이 쥘리앵에게 신약 성서를 라틴 어로 다 외우는 것이 사실인지를 물었다. 갑자기 조용해졌다. 그 사람이 신약 성서를 펼치고 짤막한 라틴 어 대목을 읽었다. 그러자 쥘리앵은 곧 그 구절을 암송했다.

"이 청년이야말로 우리 고장의 자랑입니다."

사람들은 입을 모아 쥘리앵을 칭찬했다. 파리에 올라가서 공부할 수 있도록 시에서 돈을 걷어 장학금을 주자는 의견까지 나왔다. 그는 너덧 명으로부터 자기 집에 방문해 달라는 초청을 받았다.

여섯 시쯤 쥘리앵은 그 집에서 나왔다.

'한심한 것들!'

레날 부인의 부탁 때문에 쥘리앵은 연회에 자주 얼굴을 내밀었다. 사교계에서 쥘리앵의 이름이 알려지기 시작했다. 얼마 후에는 쥘리앵이 레날 시장의 가정교사로 있을 것이냐 발르노 씨의 가정교사로 갈 것이냐가 베리에르 사람들의 화젯거리가 되었다. 쥘리앵의 결정을 놓고 내기까지 거는 사람도 있었다.

어느 날 아침, 쥘리앵은 누군가가 자기의 눈을 가리는 것에 놀라서 잠을 깼다. 레날 부인이었다. 아이들을 데리고 베리에르에 왔다가 집에 들른 것이다. 두 사람은 굉장히 행복했지만 아쉽게도 그 시간은 너무나 짧았다. 아이들이 바로 들어왔기 때문이다.

아이들은 선생을 보고 좋아했고 쥘리앵도 아이들을 반갑게 맞아 주었다. 자기 가족을 만난 기분이었다. 그는 자기가 아이들을 사랑하고 있다는 것을 깨달았다. 아이들의 천진하면서도 품위 있는 태도에 놀라워하며 이야기하고 있는데, 레날 시장이 불쑥 들어왔다. 그는 기분 나쁜 얼굴이었다.

쥘리앵은 레날 시장 가족들과 함께 시내로 나갔다. 부인이 쇼핑도 할 겸 레스토랑에서 식사를 하자고 했다. 레날 씨는 양품점에 갔다가 가족들을 남겨 놓고 볼일을 보러 갔다.

레날 부인이 쥘리앵과 함께 쇼핑을 했을 때 레날 씨는 사교 모임에

갔다. 그 곳에서 만난 발르노 씨는 레날 씨에게 쌀쌀맞은 태도를 보였다. 거기다가 자기와 쥘리앵에 대한 소문이 베리에르에 파다했다는 것에 기분이 상했다. 그 소문은 쥘리앵이 6백 프랑으로 레날 가에 그냥 눌러 있느냐, 아니면 8백 프랑을 내겠다는 빈민 수용소장인 발르노 씨에게 갈 것이냐에 대한 것이었다.

몇 시간 후 레스토랑으로 온 그는 아침보다 더 기분 나쁜 표정을 짓고 있었다. 반대로 아이들은 기쁨으로 그렇게 떠들어 댄 적이 없었다. 이런 대조가 그를 더욱 참담하게 했다.

이 별

레날 부인의 심정은 거의 막다른 지경에 이르렀다. 남편이 위험에 처했다면 그를 구하기 위해 주저없이 자신의 목숨을 내던졌을 것이다. 그러다가 어느 날 갑자기 남편이 죽어 과부가 되면 쥘리앵과 결혼할 수 있을 것이라는 상상을 했다.

쥘리앵은 아버지 레날 씨보다 더 아이들을 귀여워했다. 엄격하게 아이들을 가르쳤지만 아이들은 쥘리앵을 잘 따랐다. 레날 부인은 쥘리앵과 결혼한 다음, 파리에 가서 지내는 모습을 상상했다.

어느 날 아침, 쥘리앵은 셀랑 신부로부터 찾아와 달라는 요청을 받았다. 쥘리앵을 본 셀랑 신부는 이렇게 말했다.

"너한테는 아무 말도 듣고 싶지 않다. 3일 이내에 브장송의 신학교에 입학하든지 네 친구 푸케에게 가든지 해. 푸케는 네가 원한다면 언제든 너를 써 주기로 했어. 내가 모든 것을 다 손써 놓았다. 아무튼 이 고장을 떠나라. 그리고 일 년 동안은 이 곳으로 돌아오지 말아라."

쥘리앵은 대답하지 않았다. 그리고는 한참 생각하다가,

"내일 다시 찾아 뵙겠습니다."
라고 말했다. 하지만 그는 자기가 떠나야 할 때라는 것을 깨달았다.

쥘리앵은 이 고장을 떠나야 한다는 사실을 레날 부인에게 말했다. 이 슬픈 소식에 레날 부인은 자기 감정만 앞세워 가지 말라고 할 수가 없었다. 이런 태도가 쥘리앵을 감동시켰다. 그녀는 울지 않으려고 노력했다.

"서로 굳게 마음먹고 살아야 해요."
그리고는 자기 머리카락을 한 줌 잘라 주었다.

"내가 앞으로 어떻게 될지 잘 모르지만 만약 내가 죽더라도 아이들만은 잊지 않겠다고 약속해 줘요. 손을 잡아 줘요. 안녕, 쥘리앵! 이제 마지막이군요. 슬픈 일이지만 이렇게 되니 어떤 비난도 맞설 용기가 생겨요."

"싫습니다. 이렇게 헤어지긴 싫어요. 물론 떠날 겁니다. 모두 떠나라고 권하고 당신 역시 그러길 바라니까요. 하지만 떠났다가 사흘 뒤 밤에 당신을 만나러 돌아오겠습니다."

얼마 후 레날 씨가 돌아왔다. 그는 무척 화가 나 있었다. 그리고는 두 달 전에 받았던 익명의 투서 이야기를 했다.

"그걸 카지노에 가지고 가서 발르노란 놈의 소행이라고 모든 사람에게 알릴 작정이오. 사람들 앞에서 망신을 주고 결투를 해야겠어. 하는 짓이 생각할수록 괘씸해."

레날 부인은 마음에 들지 않고 힘들어도 발르노 씨와 억지로라도 잘 지내야 한다고 남편을 설득했다. 레날 씨가 가장 불쾌한 것은 쥘리앵이 발르노 씨 집 아이들의 가정교사가 된다는 것이었다. 쥘리앵에게는 빈민 수용소장의 제의를 받아들이는 것이 유리하다. 그러나 레날 씨의 체면을 생각하면 쥘리앵이 신학교에 입학하는 것이 좋았다.

다음 날 레날 씨는 다시 익명의 투서를 받았다. 매우 모욕적인 문체의 편지였다. 당장이라도 발르노를 없애 버리겠다는 생각으로 총포점으로 가서 권총을 구입하고 탄알을 넣었다.

레날 부인은 남편이 화가 난 것을 보자 겁이 덜컥 났다. 그녀는 남편을 불러 몇 시간에 걸친 설득 끝에 발르노 씨를 쏘아 죽이는 것보다 쥘리앵이 신학교에 다니는 동안 필요한 일 년간의 학자금으로 6백 프랑을 주는 쪽이 낫다고 설득했고 그것은 다행히 성공했다.

마침내 쥘리앵은 베리에르를 떠났다. 레날 씨는 매우 기뻤다. 쥘리앵은 레날 씨가 학자금을 주자 그 액수가 많다며 거절했다. 레날 씨는 눈물을 글썽이며 쥘리앵을 끌어안았다.

쥘리앵은 베리에르를 떠나며 마음속에 동요가 일었다. 하지만 이 고장을 십 리쯤 벗어나자 브장송과 같은 큰 도시를 볼 즐거움이 머릿속에 가득 찼다.

쥘리앵과 헤어져 있는 3일 동안 레날 부인은 무척 힘들었다. 그래도 그날 그날 참고 보낼 수 있었던 것은 마지막으로 쥘리앵을 볼 기회가 남아 있기 때문이었다.

이윽고 3일째 되는 날 온갖 위험을 무릅쓰고 쥘리앵이 그녀 앞에 나타났다. 그 순간부터 레날 부인의 머릿속에는 '이게 쥘리앵과의 마지막이야' 라는 생각밖에 없었다.

"나보다 더 불행한 여자는 없을 거예요. 이대로 죽고 싶어요. 심장이 싸늘해지는 것 같아요."

날이 밝기 시작하자 쥘리앵이 떠나야 할 때가 되었다. 레날 부인은 쥘리앵이 창에 밧줄을 매는 것을 말없이 지켜보았다.

쥘리앵은 산마루를 넘기 전 몇 번이고 베리에르를 뒤돌아보았다.

새로운 출발

쥘리앵은 먼 산 위에 있는 검은 성벽을 보았다.

'이제 브장송이다. 이 빛나는 도시를 방위하는 연대의 소위가 된다면 얼마나 좋을까……'

브장송은 프랑스의 아름다운 도시로, 기개가 넘치고 재치 있는 사람들이 많은 곳으로 유명하다. 그러니 시골뜨기인 쥘리앵으로서는 이 곳 사람들과 어떻게 대면할지를 전혀 몰랐다.

문 위에 금빛으로 칠한 철 십자가가 보였다. 그는 천천히 그 앞으로 갔다. 무릎에서 스르르 힘이 빠지는 것 같았다.

'드디어 땅 위에 있는 지옥에 왔구나.'

쥘리앵은 심호흡을 하고 초인종을 울렸다. 1분쯤 지나자 검은 옷을 입은 안색이 좋지 않은 문지기가 문을 열어 주었다.

"신학교 교장 피라르 신부를 만나고 싶습니다."

두 사람은 3층으로 올라갔다. 계단은 무너질 듯 위태로웠다. 쥘리앵은 어느 방으로 안내되어 그 곳에 혼자 남게 되었다.

그는 불안했다. 심장이 고동쳤다. 죽음과 같은 침묵이 건물 전체를 지배했다.

15분 정도 지나자 음산한 표정의 문지기가 다시 와서는 따라오라는 눈짓을 했다. 문지기는 먼저보다 더 어둠침침한 방으로 쥘리앵을 안내했다.

창 쪽을 향한 책상 앞에 법의를 입은 사람이 앉아 있었다. 그는 화난 듯한 얼굴로 작고 네모진 종이에 무엇인가 써서 책상 위에 나란히 늘어 놓고 있었다. 문지기는 쥘리앵을 방 한가운데 남겨 두고 문을 닫고 나갔다. 그런 상태로 10분이 지났다. 신부는 아직도 무엇인가 쓰고 있었다. 쥘리앵은 감동과 흥분 때문에 금방이라도 쓰러질 것 같았다.

그 사나이가 문득 얼굴을 들었다. 죽은 사람 같은 창백한 이마와 긴 얼굴 아래쪽엔 빨간 반점이 많았다. 아무리 담이 큰 사람이라도 벌벌 떨 얼굴이었다.

"가까이 와 보게."

그 말에 쥘리앵은 새파랗게 질린 얼굴로 비실비실 앞으로 나아갔다.

"이름은?"

"쥘리앵 소렐입니다."

"늦었군."

사나이는 무서운 눈초리로 쥘리앵을 노려보며 말했다. 쥘리앵은 그 시선이 견딜 수 없어 몸을 가누려다가 그만 픽 하고 쓰러졌다.

"간질인가 보군. 귀찮은 녀석이야."

쥘리앵이 눈을 떴을 때 신부는 여전히 글씨를 쓰고 있었다.

쥘리앵은 심한 구토 증상을 느꼈다.

'내 몸에 무슨 이상이라도 생긴 걸까?'

이윽고 남자는 쓰는 것을 멈추고 쥘리앵에게 물었다.

"이제 내 말에 대답할 수 있겠나?"

"예."

검은 옷의 사나이는 책상 서랍을 열고 무슨 편지를 찾아 꺼냈다.

"자네에 관해서는 셸랑 신부에게 전해 들었네. 그 분은 이 교구에서 가장 훌륭한 사제였지. 덕망이 아주 높은 분이야. 나하곤 30년 친구지."

"그럼, 신부님이 바로 피라르 선생님이십니까?"

"그렇다네."

그는 무뚝뚝하게 대답했다.

"셸랑 신부의 편지는 짤막하지만……."

혼잣말처럼 신부는 말을 이었다.

"현명한 자에겐 짧은 말도 족하다."

이렇게 말하고는 신부는 목소리를 높여 편지를 읽었다.

"쥘리앵 소렐을 소개합니다. 20년 전에 내가 세례를 준 청년입니다. 유복한 목재상의 아들입니다만 부친에게서 아무것도 물려받지 못했습니다. 주님의 포도원에서 훌륭한 일꾼이 될 수 있을 겁니다. 모든 면에서 뛰어납니다. 통찰력도 있습니다. 다만 그가 평생 성직에 봉사할지는 그리고 성직자가 되려는 마음이 진심일지는……. 진심일지는! 진심일지는!"

신부는 나직이 되풀이하여 말하고는 계속 편지를 읽었다.

"쥘리앵 소렐을 장학생으로 대우해 주셨으면 합니다. 물론 필요한 시험이 있을 줄 압니다. 그는 그만한 자격을 갖출 성적을 얻을 것입니다. 제가 전통적인 신학을 가르쳐 주었습니다. 만약에 쥘리앵이 마음에 안 드시면 돌려보내 주십시오. 빈민 수용소장이 가정교사로 8백 프랑을 내겠다고 하니까요. 건강을 기원하며……."

편지를 읽고 나서 교장은 쥘리앵에게 말했다.

"이 학교엔 성직에 몸 담기를 희망하는 사람이 321명 있네. 셸랑 신부와 같이 덕망 높은 분이 추천한 사람은 그 중 7~8명 정도에 불과해. 그러니까 자네는 이 학생들 중에 아홉 번째로 특별생이 되는 셈이지. 그러나 내가 돌봐 준다고 해서 특별히 편을 들지는 않네. 악덕이 물들지 않도록 오히려 다른 학생보다 엄격하게 감독할 뿐이지."

그리고는 라틴 어로 물어 보았다.

"라틴 어를 할 줄 아나?"

그러자 쥘리앵도 라틴 어로 답했다.

"예, 존경하는 신부님."

대화는 라틴 어로 계속되었다. 피라르 신부는 신학에 관해 쥘리앵을 시험해 보았는데 너무 많은 것을 알고 있어서 혀를 내둘렀다. 성서에 대해 질문을 하고는 더욱 놀랐다. 하지만 초기 교회의 교부인 성 제롬, 성 어거스틴, 성 바질 등은 그 이름조차 모른다는 것을 알았다.

그러자 쥘리앵은 묻지도 않은 창세기나 모세 오경 등이 씌어진 정확한 연대에 관한 이야기를 했다.

피라르 신부는 생각했다.

'이게 바로 개신교의 좋지 못한 경향이지. 성서에 대해서는 깊은 지식을 가졌어, 너무 지나칠 정도로. 이런 식으로 성서를 알면 어떤 결과가 생길까? 어쩌면 위험한 개신교 사상에 빠질 수도 있어. 더구나 이런 경박한 학식을 가졌으면서도 그것을 보충하는 데 도움이 되는 교부들은 잘 모르니.'

아무튼 피라르 신부는 쥘리앵의 대답을 명쾌하고 적절하며 정확하다고 인정했다.

'대담하고 건전한 정신을 가졌다. 그러나 몸은 허약해.'

"아까처럼 자주 넘어지나?"

"아니, 난생 처음이었습니다. 선생님의 날카로운 눈빛에 겁을 집어먹은 모양입니다."

피라르 신부는 또다시 라틴 어로 말하기 시작했다.

"……자네가 원하는 전액 장학생이 되는 것은 힘든 일이야. 하지만 셸랑 신부는 50년 이상을 성직에 몸바쳐 오신 분이라네. 그 분이 모처럼 부탁한 신학생 한 명쯤 맡아 주지 못한다면 너무 박대를 하는 게 되겠지."

그렇게 말하고는 자기의 승낙 없이 비밀 결사나 비밀 수도회에 가입하지 말라고 주의를 주었다.

"예, 제 명예를 걸고 맹세하겠습니다."

"그런 말은 소용없어. 속세의 사람들의 헛된 맹세를 연상시키니까."

피라르 신부와의 괴로운 대화는 세 시간이나 계속되었다. 피라르 신부는 문지기를 불러 쥘리앵을 103호로 안내하라고 했다.

교장의 특별한 배려로 쥘리앵은 독방을 쓰게 된 것이다. 방으로 들어가 보니 성의 외곽이 보였다. 그 너머로는 아름다운 평야가 펼쳐져 있었다.

"참으로 훌륭한 경치구나."

그는 방 안에 한 개밖에 없는 의자에 걸터앉아 곧 깊은 잠에 빠졌다. 저녁식사와 예배를 알리는 종소리도 듣지 못했다.

고단한 신학교 생활

독자들이여, 내가 쥘리앵의 신학교 생활에 대해 자세히 쓰지 않는 것을 용서하기 바란다. 쥘리앵의 신학교 생활은 너무 어두워서 이 책의 색조를 망가뜨릴 것 같아 쓰지 않는 것이다.

쥘리앵은 실패했다. 누군가 옆에서 조금만 도와주었더라면 그는 충분히 용기를 되찾을 수 있었을지도 모른다. 그러나 그는 넓은 바다 위의 조각배처럼 완전히 고립된 생활을 했다.

쥘리앵에게는 시련의 시기였다. 그래서 그는 다른 고장으로 가서 라틴 어 선생이 되어 볼까 생각했다. 그러면 입에 풀칠은 할 수 있다. 그러나 그렇게 되면 출세는 하지 못한다. 라틴 어 선생으로는 그가 꿈꾸는 미래가 없다. 그의 우울한 나날 중의 어느 하루를 보자.

어느 날 아침, 쥘리앵은 생각했다.

'나는 보통의 농부의 아들과는 다르다고 생각해 왔어. 그런데 내가 남과 다르다는 바로 그것이 남에게 미움을 사는 원인이었어.'

부교장 카스타네드 신부의 교회사 강의 시간을 알리는 종이 울렸다.

부교장은 가난한 농부의 자식들인 신학생들에게 지상에서 천주님의 뜻을 대행하는 자의 위임이 없으면, 이 세상에서 가장 무서운 것으로 보이는 정부도 실질적으로 정당한 권력을 행사할 수 없다고 강의했다.

"여러분은 신성한 생활과 복종의 미덕으로 법왕의 은총을 받기에 충분한 사람들이 돼야 하오. 그렇게 해야 남을 지배할 수 있는 높은 위치에 오르게 되는 것이오."

강의가 끝나자 학생들은 몇 개의 그룹으로 갈라졌다. 쥘리앵은 따돌림을 받고 있었으므로 어느 그룹에도 끼지 못했다.

'나도 저들과 친해져야 해.'

라고 쥘리앵은 생각했다.

그들은 소시지와 수입이 좋은 교구에 대한 이야기를 했다. 그것도 아니면 주교와 지사 간의 힘겨루기, 시장 또는 읍장과 사제와의 힘겨루기 등을 이야기했다. 쥘리앵은 거기서 자기가 믿고 있는 신을 이은 두 번째 신이 있음을 알았다. 그리고 그 신은 하느님보다 훨씬 무섭고 넓고 큰 세력을 가졌다는 사실을 알았다. 그 신은 바로 법왕이었다.

쥘리앵은 학생들에게 메이스트르의 〈법왕론〉을 인용해 그들에게 자기를 인식시킬 수 있는 기회를 갖고자 하였다. 그래서 자기가 읽은 책에 대해 설명해 주었다. 그러자 학생들은 모두 경탄했다.

그러나 그것이 오히려 쥘리앵을 더욱 힘들게 했다. 쥘리앵이 다른 학생들보다 더 능숙하고 조리 있게 자기의 의견을 이야기했기 때문에 그들의 자존심을 상하게 한 것이다. 결국 쥘리앵은 학생들에게 '마틴 루터'라는 별명을 얻고 더욱 따돌림을 받게 되었다.

성체 행렬

쥘리앵은 일부러 똑똑한 척을 하려고 하지 않았지만 소용이 없었다. 쥘리앵은 그들과 너무 달랐던 것이다. 그러나 그 중에도 쥘리앵을 알아주는 사람이 있었다. 바로 성당의 의식을 주관하는 샤 베르나르 신부였다.

그는 15년 이상을 신학교에서 설교학을 가르쳤다. 아직 신학교 분위기를 익히기도 전에 쥘리앵은 그 학과에서 수석을 했다. 그 덕분에 베르나르 신부는 쥘리앵을 눈여겨보았고, 강의가 끝나면 쥘리앵과 함께 산책을 하기도 했다.

어느 날 저녁, 샤 베르나르 신부는 쥘리앵에게 대성당을 장식하는 것을 도와달라고 부탁했다. 다음 날 쥘리앵은 대성당으로 갔다.

"잘 왔어. 오늘 일은 시간도 많이 걸리고 힘든 일이야. 우선 간단히 아침이나 먹지."

"저를 혼자 있게 하지 말아 주세요."

"신학교의 학생들이 무섭나? 그런 데 신경 쓰지 말고 일이나 하게."

샤 베르나르 신부가 말한 대로 일은 힘들고 지루했다. 어젯밤 대성당에서 성대한 장례식이 있었기 때문에 준비를 전혀 하지 못했었다. 오전 중에 성당을 세 부분으로 나누고 있는 고딕식 원주들을 빨간 양단으로 10미터 높이까지 감아 올려야 했다.

신부는 파리에서 네 명의 장식 전문가를 불러 왔다. 하지만 손이 모자랐다. 그래서 브장송 장식가들도 함께 거들었지만 파리의 장식가들은 브장송 사람들의 서툰 솜씨를 비웃으며 고쳐 주려 하지 않았다.

다음에는 제단 바로 위 12미터 높이의 천정에 다섯 개의 깃털 장식을 달아야 했다. 이 일은 파리의 장식 전문가들도 주춤했다. 누구도 올라가겠다고 나서지 않았다. 쥘리앵은 자기가 사다리에 올라가겠다고 말했다. 다행히 쥘리앵은 몸이 가벼웠다. 쥘리앵은 깃털 다발을 들고 사다리를 타고 올라가 예쁘게 달고 내려왔다. 샤 베르나르 신부는 두 팔로 그를 껴안았다.

"훌륭해. 이 일을 주교님께 말씀 드려 주겠네."

샤 베르나르 신부는 이렇게 대성당이 훌륭하고 멋진 적이 없었다며 쥘리앵의 용기를 칭찬했다.

대미사의 시간을 알리는 종이 울리자, 쥘리앵은 성체 행렬에 참가하고자 흰색 제의를 입으려고 했다.

샤 베르나르 신부가 소리쳤다.

"도둑을 지켜야지! 성체 행렬이 지나가면 나와 함께 이 곳을 지켜야 하네. 기둥에 감은 금줄을 누가 베어 가면 어쩌나?"

성당의 종이 울렸다. 메아리치는 그 장엄한 종소리에 쥘리앵은 깊은 감동을 받았다. 화창한 날씨의 브장송 거리를 성체 행렬이 조용히 지나가고 있었다.

침묵과 적막, 긴 복도의 상쾌한 공기는 쥘리앵의 마음을 더욱 감미롭게 했다. 수다스런 샤 베르나르 신부는 회장 건너편을 지키고 있었기 때문에 쥘리앵은 자기만의 세계를 침해당하지 않았다.

이윽고 쥘리앵은 아름다운 옷을 입은 두 여인을 보고 지금까지의 사색에서 깨어났다. 한 여인은 고해대에, 다른 여인은 그 옆에 꿇어앉아 기도를 드리고 있었다. 쥘리앵은 그 여자들을 무심코 바라보았다. 그런데 고해대에는 신부가 없어서 쥘리앵이 고해대로 갔다.

고해대에 꿇어앉아 있던 여인은 고요 속에서 들리는 발소리에 뒤를 돌아보았다. 그 순간 여인은 조그만 비명을 지르며 뒤로 넘어졌다. 곁에 있던 여인은 넘어진 여인을 얼른 안아 일으켰다. 그 때 쥘리앵은 쓰러진 부인의 목에 걸린 눈에 익은 진주 목걸이를 보았다. 레날 부인이었다. 그녀를 부축하는 여자는 데르빌 부인이었다.

쥘리앵은 정신없이 달려갔다. 레날 부인은 완전히 의식을 잃었다. 그는 데르빌 부인과 함께 그녀를 일으켰다. 그제서야 데르빌 부인은 쥘리앵이란 것을 알고 가증스럽다는 듯이 소리쳤다.

"저리 비켜요! 조금이라도 양심이 있다면 물러나요."

데르빌 부인의 단호한 말에 쥘리앵은 아무 말도 못하고 물러났다.

"레날 부인은 당신과 헤어지고 나서 당신과의 일을 후회하고 있어요. 신앙도 좋아지고요."

바로 그 때 성체 행렬이 돌아왔다. 샤 베르나르 신부는 몇 번이나 쥘리앵을 불렀지만 쥘리앵에게는 그 소리가 들리지 않았다. 샤 베르나르가 달려와 쥘리앵의 팔을 잡았다.

"몸이 불편한가? 너무 힘들었던 모양이군. 자, 이리 와서 의자에 앉아 있게. 그리고 진정하고 기운을 내. 주교님이 지나가실 때 내가 자넬 부축해 줄게. 그리고 소개해 줄게."

그러나 주교가 지나갈 때까지도 쥘리앵은 떨고 있었다. 결국 신부는 주교에게 그를 소개하는 것을 포기했다.

"너무 상심하지 말게. 기회는 또 있을 테니까."

최초의 승진

대성당 사건이 있고 나서 쥘리앵은 좀처럼 충격에서 헤어나지 못했다. 그러던 어느 날 피라르 신부의 부름을 받았다.

"샤 베르나르 신부가 자네를 칭찬하는 편지를 보냈네. 나는 자네에게 대체적으로 만족하고 있네. 다소 경솔하고 성급하기는 하지만 말야. 내가 이 신학교에 온 지도 15년이니 이제 떠날 날도 멀지 않았네. 떠나기 전에 자네를 성서 복습 교사로 임명하겠네."

쥘리앵은 그 자리에 꿇어앉아 하느님께 감사 기도를 드려야 했으나 너무 감격한 나머지 엉뚱하게도 피라르 신부에게 다가가 그의 손을 잡고 키스를 했다.

"이게 무슨 짓인가?"

교장은 소리를 버럭 질렀다. 그러나 쥘리앵의 눈빛을 보고는 다시 말했다.

"사실은 나도 자네를 좋아해. 하지만 나는 공정해야 하는 사람이야. 자네 앞길에 많은 곤란이 있을 거야. 자네에겐 어딘가 세상 사람들에게 반감을 품게 하는 부분이 있으니까. 질투와 중상이 늘 자네를 따라다닐 걸세. 그것을 이기는 방법은 단 하나, 하느님을 의지하는 것일세. 언제나 순결한 행동을 하게. 진리를 계속 지켜 나가면 적들은 자네에게 꼼짝 못할 걸세."

이것이 쥘리앵의 첫 승진이었다. 이제 그는 여느 학생들과 다르게 여러 특권을 갖게 되었다. 정원으로 나가는 문의 열쇠가 있어 마음껏 정원을 산책할 수도 있었다.

사냥철이 되었다. 푸케는 쥘리앵의 집에서 보내는 것처럼 해서 쥘리앵에게 사슴과 멧돼지 한 마리씩을 보냈다. 이 선물 덕택에 신학생들은 쥘리앵의 집안이 꽤 잘 사는 것으로 알았다. 학생들은 쥘리앵을 부러워했다. 이제 쥘리앵은 그들보다 우월한 사람이 되었다.

시험이 있었다. 쥘리앵의 답변은 명쾌했다. 그 첫날, 프릴레르 부주교가 임명한 시험관들은 피라르 교장의 애제자인 쥘리앵 소렐의 이름을 수석 아니면 2등으로 기입했다. 쥘리앵은 그만큼 출중했다. 그런데 마지막 시험에서 어떤 교활한 시험관이 쥘리앵에게 성 제롬과 키케로에 관해 질문을 하고 호라티우스와 베르길리우스 등 세속적인 시인들에 관해 질문했다. 쥘리앵은 몰래 이런 작가들의 문장을 암기하고 있었다. 우쭐해진 쥘리앵은 위험에 처한 줄도 모르고 호라티우스의 시를 암송하고 주석까지 달았다. 시험관은 얼굴을 무섭게 하고는 세속적인 공부로 시간을 낭비하고 죄악된 관념에 사로잡혀 있다며 쥘리앵을 질책했다.

"선생님 말씀이 맞습니다. 제가 어리석었습니다."

시험관의 함정에 빠져들었다는 것을 눈치챈 쥘리앵이 겸손하게 말했다. 시험관의 함정은 야비했다.

프릴레르 부주교는 브장송의 수도회 조직망을 교묘하게 만들어 놓은 빈틈없는 인물로 재판관도, 수비대 장교도, 지사도 벌벌 떨게 하는 인물이었다. 그런 권력을 쥔 그가 쥘리앵에게 198등이라고 적는 것은 쉬운 일이었다. 그는 피라르 신부의 애제자인 쥘리앵의 등수를 낮추어서 앙숙인 피라르 신부에게 창피를 주고 싶었던 것이다. 프릴레르 부주교의 목표는 피라르 신부의 신학교 교장 자리를 빼앗는 것이었다.

시험 결과를 받은 피라르 신부는 자기 학교의 명예로 여기던 학생이 198등을 했다는 것에 그만 일주일 동안 앓아 누웠다.

몇 주 후, 쥘리앵은 파리에서 온 편지를 받고 놀랐다. 폴 소렐이라는 서명과 함께 쥘리앵의 친척이라며 5백 프랑짜리 수표를 보내 온 것이었다. 그 사람은 라틴 대작가들의 연구에 성과를 올리면, 해마다 5백 프랑을 보내 주겠다고 했다. 쥘리앵은 감동했다.

'레날 부인이야. 그 여자가 보낸 거야. 나를 위로해 주려는 거야. 그런데 왜 애정이 담긴 말은 한 마디도 없는 걸까?'

쥘리앵은 편지에 대해 착각을 했다. 레날 부인은 자기 운명을 바꾸어 놓은 청년을 떠올릴 때가 있었으나 그에게 학자금을 줄 생각은 하지 못했다.

하느님을 믿는 사람들의 표현대로 하자면 이 일을 하느님께서 은혜를 베푸시기 위해 프릴레르 부주교를 등장시켰다고 할 수 있을 것이다.

12년 전 프릴레르 신부는 초라한 여행 가방 하나만을 들고 브장송으로 왔다. 소문에 의하면, 그 가방에 신부의 전 재산이 들어 있었다고 한다. 그런 그가 지금은 이 지방에서 유복한 지주가 되었다. 그는 땅을 늘려 가다가 어떤 토지의 절반을 샀다. 나머지 절반은 라몰 후작이 상속한 땅이었다. 이것은 두 세력가 사이에 사건을 일으켜 소송 사건에 휘말리게 했다.

파리에서 호화로운 생활을 하며 궁정의 요직을 차지하고 있는 라몰 후작은 지사의 임명권을 갖고 있는 부주교를 상대로 싸우는 것은 위험한 일이라고 생각했다. 부주교는 1심에서 승소하고 일주일째 되는 날 라몰 후작에게 충격을 주려고 주교의 마차를 타고 자기 변호사에게 레지옹 도뇌르 훈장을 갖다 주었다. 상대방의 행동에 약간 질린 라몰 후작은 자기 변호사들이 기가 죽은 것을 보자 셸랑 신부에게 의논을 했다. 그 때 소개받은 사람이 피라르 신부였다. 후작과 피라르 신부와의 관계는 그 후 계속되었다. 피라르 신부는 정열적인 성격으로 이 사건에 온 힘을 기울였다. 그는 라몰 후작 변호사들을 만나 소송의 경위를 조사하고 이유가 정당하다는 것을 알자 절대적인 권력을 휘두르는 부주교와 맞대결했다. 부주교는 피라르 신부의 불손한 태도에 화가 났다.

이 사건으로 피라르 신부와 줄곧 연락한 라몰 후작은 그의 인품에 반했다. 신분에는 차이가 있었지만 차츰 편지를 주고받으면서 친구 같은 사이가 되었다. 그런 와중에 피라르 신부는 부주교 때문에 자기는 사표를 내지 않으면 안 되는 상황에 오게 되었다는 편지를 보냈다. 그리고 쥘리앵이 시험을 볼 때 빠진 함정에 대해서도 이야기했다.

굉장한 부자인 라몰 후작은 피라르 신부가 소송 때문에 쓴 비용을 갚아 주고자 했다. 그러나 신부는 받지 않았다. 그래서 신부의 제자인 쥘리앵에게 신부 몰래 5백 프랑을 보낸 것이다.

어느 날, 피라르 신부는 브장송 교외 근처의 여관으로 나와 달라는 연락을 받았다. 나가 보았더니 라몰 후작 댁의 집사가 있었다.

"후작님께서 신부님을 모시고 오라고 하셨습니다. 이 편지를 읽으시고 4,5일 내에 파리로 나오시랍니다. 출발 날짜를 말씀해 주시면 그때 제가 오겠습니다."

피라르 신부는 브장송 신학교에 자신의 적이 많았지만 15년간 일해 온 학교를 사랑하고 있었다. 하지만 그가 파면당하는 것은 피할 수 없는 일이었다. 그래서 3일 후에 떠나기로 하고 집사와 만나기로 약속을 했다.

이틀 동안 피라르 신부는 몸에 열이 날 정도로 고민을 했다. 결국 라몰 후작에게 답장을 쓰고 주교에게도 편지를 썼다. 그러면서 프릴레르 부주교와 라몰 후작의 문제를 풀어 보려고 했던 것이 파면의 이유였기에 그는 자기의 억울함과 불평거리를 하나씩 열거했다. 편지를 다 쓰고는 모두 잠자리에 들었을 시각에 쥘리앵을 불렀다.

"주교관이 어디에 있는지 알고 있지?"

신부는 완벽한 라틴 어로 말했다.

"이 편지를 주교에게 전해 주게. 나는 자네를 이리 떼 소굴로 보내는 셈이니 부디 조심하게. 자네와 헤어지면서 이런 어려운 일을 시켜서 미안하네. 이 편지는 사실 내 사직서라네."

쥘리앵은 그 말에 놀라서 꼼짝 않고 서 있었다.

'성실한 분이 떠나면 이 학교는 어떻게 되지? 나도 어쩌면 신학교에서 추방당할지도 몰라.'

쥘리앵은 조심스럽게 말을 꺼냈다.

"신부님은 이 곳에 계시면서 한 푼의 돈도 모으시지 않았다는 이야기를 들었습니다. 제게 6백 프랑이 있으니……."

"그 뜻은 고맙지만……."

신부는 냉정하게 말했다.

"너무 늦었으니 주교관에 빨리 가 보게."

그런데 그 날 주교관의 응접실 당번은 프릴레르 부주교였다. 마침 주교는 지사 댁 만찬에 초대되어 자리에 없었다. 쥘리앵이 편지를 전해 준 상대는 프릴레르 부주교였다. 불행히도 쥘리앵은 그가 누구인지 몰랐던 것이다. 부주교는 주교의 편지를 서슴없이 뜯어 읽었다. 쥘리앵은 부주교의 무례한 태도에 너무 놀랐다. 부주교의 얼굴은 편지를 읽으면서 침통해졌다.

그 때 덜컹 하는 소리와 함께 문이 열리면서 제복을 입은 시종이 들어왔다. 쥘리앵은 입구 쪽을 보고는 무릎을 꿇었다. 주교였다. 그는 미소를 보이며 지나갔다. 그 뒤를 부주교가 따랐다. 응접실에 남은 쥘리앵은 그 방의 화려하고 경건한 분위기에 압도당했다.

브장송 주교는 아직도 정정한 75세 노인이었다.

"아까 지나치면서 총명한 신학생을 본 것 같은데……. 그가 누군가? 내가 정한 규율로는 이 시간에는 자고 있어야 하는데."

"그 학생은 총명합니다. 대단한 소식을 가져왔더군요. 피라르 신부가 자기 처지를 깨닫고 사직서를 보내 왔습니다."

"그래? 어디 그 사람이 그만둔 뒤에 어떻게 살 것인지 물어 보세. 그 학생을 불러 주게."

주교는 피라르 신부 이야기를 하기 전에 쥘리앵이 얼마나 공부를 하고 있는지 질문하는 것이 좋겠다고 생각했다. 몇 가지 질문을 하고는 주교는 혀를 내둘렀다. 고전 문학 이야기가 나오면서 베르길리우스, 호라티우스, 키케로가 화제에 올랐다.

'이런 이름들로 내가 어려움을 당했었지. 이젠 마음껏 실력을 발휘하자.'

라고 쥘리앵은 생각했다.

쥘리앵은 성공했다. 주교는 뛰어난 고전 문학자였다. 주교와 쥘리앵은 꽤 오랫동안 이야기를 나누었고 주교는 쥘리앵을 극찬했다.

"굉장하군. 이보다 더 잘하기는 불가능해."

"아닙니다. 이 신학교엔 저보다 잘하는 사람이 197명이나 있습니다."

"무슨 이야기인가?"

"학년 말 시험에서 저는 지금 주교님께서 칭찬하신 문제에 대해 정확하게 대답을 해서 198등이 되었습니다."

"아아, 자네가 바로 피라르 신부의 애제자였군. 그래 자네를 여기 보내기 위해 피라르 신부가 자넬 깨웠나?"

"예, 저는 성체절 날 대성당을 장식하는 일을 거들기 위해 샤 베르나르 신부님께 갔던 일을 제외하고는 신학교를 나와 본 일이 한 번도 없습니다."

"아하! 자네가 바로 천장에 새 깃을 단 용감한 신학생이로군. 나는 해마다 그 일을 생각하면 소름이 끼친다네. 혹시 그 일을 하다가 목숨

을 잃지나 않을까 하고 말이야. 자네는 정말 훌륭한 청년일세."

주교는 과자와 포도주를 가져오게 해서 쥘리앵에게 주었다. 그는 사양하지 않고 먹었다. 시간이 흐르면서 주교는 교회사 이야기를 했다.

그런데 이번에 쥘리앵은 대화를 할 수 없었다. 그는 교회사에 대해 전혀 몰랐다. 주교는 쥘리앵이 타키투스의 이름조차 모른다는 것을 알았다. 쥘리앵은 주교가 말한 이름들에 대해서는 신학교 도서관에서 찾아볼 수 없었다고 솔직하게 말했다.

"아무튼 자네 덕분에 즐거운 시간을 보냈네. 이런 지방 신학교에 자네같이 똑똑한 학생이 있을 줄은 몰랐네. 교회 규칙을 어기는 일일지는 모르지만 타키투스의 책을 한 질 주고 싶네."

주교는 그 책을 가져와 손수 표지에 서명을 했다.

"만약 자네가 얌전하게 있으면 내 관할 교구에서 가장 좋은 사제직을 주겠네. 부디 얌전히 있기를 바라네."

쥘리앵이 돌아오자 피라르 신부는 주교가 뭐라고 말했느냐고 물었다.

"주교의 말을 한 마디도 빼거나 보태지 말고 그대로 말해 보게."

쥘리앵의 얘기를 다 듣고 난 피라르 신부는 그가 갖고 있는 타키투스 전집을 보더니,

"주교께서 신학생에게 준 것으로는 좀 묘한 선물이군."

이라고 중얼거렸다.

피라르 신부는 쥘리앵을 돌려보냈다. 벌써 새벽 두 시가 되고 있었다.

다음 날 피라르 신부는 학생들에게 엄숙하게 훈시를 하고 학교를 떠났다. 학교를 떠난 피라르 신부는 브장송의 여관에서 이틀 동안 머물렀다. 주교는 그를 만찬에 초대했다. 프릴레르 부주교를 놀려 주느라고 일부러 피라르 신부를 부른 것이었다. 식사를 마치자 주교는 피라르 신부가 파리에서 16킬로미터 떨어진 어떤 교구의 사제로 임명되었다는 소식

이 파리에서 왔다고 전했다. 주교는 피라르 신부를 진심으로 축하해 주었다. 프릴레르 부주교는 기분이 무척 나빴다.

그날 밤 주교는 뤼방프레 후작 부인 댁에 가서 또다시 피라르 신부를 칭찬했다. 이것은 브장송 사교계에서는 놀라운 일이었다. 눈치 빠른 사람들은 라몰 후작이 대신이라도 되지 않을까 생각했다. 그렇게 되면 프릴레르 부주교의 오만한 얼굴이 어떻게 변할지 꽤 재미있을 거라고 수군거렸다.

다음 날, 피라르 신부가 후작의 소송에 대해 청원을 하러 가기 위해 한길에 나서자, 많은 사람들이 그 뒤를 따랐다. 사람들은 파리로 떠나는 피라르 신부를 전송했다. 그리고 15년 동안 교장을 하면서 겨우 250프 랑밖에 없다는 사실에 존경하며 감탄했다.

야심가

라몰 후작은 피라르 신부를 맞이했다. 그러나 대귀족다운 예의를 갖추지 않았다. 시간 낭비라고 생각했기 때문이다. 후작은 지금 다른 중요한 사건에 매달려 있기 때문에 시간이 없었다.

후작은 의례적인 인사와 개인적인 질문을 마치고 말을 이었다.

"저는 우리 가정과 장래에 대해 많은 걱정을 하고 또 나 자신의 즐거움을 위해서도 소홀히 하지 않습니다. 따지고 보면 개인의 즐거움이 무엇보다 중요한 일이니까요."

피라르 신부는 이해심이 많은 사람이었지만, 늙은 사람이 아무렇지도 않게 자기 쾌락에 대해 이야기하는 것에 놀라지 않을 수 없었다.

"일 잘하는 사람은 파리에도 있습니다만 마음을 놓을 수가 없습니다. 소송에 있어서는 더욱 그렇지요. 목숨을 바쳐 가며 일해 주는 변호사들이 물론 있습니다. 그러나 나는 아직 마음에 꼭 드는 사람을 찾지 못했습니다. 좀더 솔직히 말씀 드리면, 저는 신부님을 처음 뵈었지만 호감을 갖게 되었습니다. 그래서 말씀인데 저의 비서가 되어 주시면 안 되겠습니까? 연봉 8천 프랑, 아니 그 갑절이라도 좋습니다. 그래도 손해는 아니라고 생각합니다. 혹시 함께 일할 수 없을 경우를 대비해서 당신이 사제직을 계속 하실 수 있게 해 드리겠습니다."

피라르 신부는 그의 청을 거절했다. 후작이 몹시 난감해하자 신부는 문득 쥘리앵이 생각났다.

"저는 신학교에 딱한 청년 하나를 남겨 두고 왔습니다. 그 청년은 아마 지금 곤경에 빠져 있을지도 모릅니다. 그 청년은 라틴 어와 성서에 관해 뛰어난 지식을 가지고 있습니다. 그리고 앞으로는 더 비상한 재능을 발휘할 것으로 생각합니다. 틀림없이 훌륭한 인물이 될 것입니다. 그 청년을 소개하고 싶습니다."

"그 청년은 어디 출신인가요?"

"저희 고향 산골 제재소를 경영하는 집의 아들이라고 하는데, 저는 아마도 어느 부잣집의 사생아가 아닐까 생각합니다. 5백 프랑의 송금 수표가 들어 있는 편지를 받는 걸 보았으니까요."

"아아, 그럼 그 청년이 쥘리앵 소렐이로군요."

"어떻게 그 이름을 알고 계시죠?"

후작은 그 말에 당황하여 얼굴을 붉히며,

"그것은 말씀 드릴 수가 없습니다."

라고 말했다.

"그 청년을 비서로 쓰시는 게 어떨까요?"

"좋아요. 그런데 어떤 사람에게 매수당해서 나의 정보를 넘겨 주는 일은 없겠죠?"

피라르 신부가 그 점에 대해서는 걱정하지 않아도 된다고 하자, 후작은 1천 프랑짜리 수표를 한 장 주었다.

"이걸 그 청년의 여비로 주고 이리로 오게 하십시오."

"알겠습니다. 그런데 어쩌면 신학교에서 그 청년이 이 곳으로 오는 것을 방해할지도 모릅니다. 편지를 전해 주지 않을 수도 있습니다."

"그럼 내가 가까운 시일 안에 중앙 대신으로부터 주교에게 보내는 편지를 한 장 얻어 보겠습니다."

얼마 후 쥘리앵은 편지를 받았다. 그 속에는 수표 한 장과 파리로 오라는 사연이 있었다. 편지는 가명이었다. 그러나 쥘리앵은 누가 보낸 편지인지 알고 있었다. 열세 번째 낱말에 잉크 얼룩이 있었다. 이것은 쥘리앵과 피라르 신부 사이에 미리 약속해 둔 표시였다.

주교가 쥘리앵을 불렀다. 파리로 가는 것에 대한 행운을 축하해 주었다. 그리고 일의 자초지종을 듣고 싶어했다. 하지만 쥘리앵은 대답해 줄 수가 없었다. 자신은 아무것도 모르기 때문이었다.

그날 밤, 자정이 되기 전에 쥘리앵은 작별 인사를 하려고 친구 푸케의 집에 갔다. 푸케는 친구의 장래에 대해 기뻐하기보다는 걱정을 했다.

"잘 돼야 고위 정부의 관리가 되는 걸 거야. 그러면 매일 신문에서 두들겨 맞는 일을 하겠지. 이봐, 잘 생각해 봐. 나랑 같이 일해서 백 루이를 버는 것이 그 곳에서 4천 프랑을 버는 것보다 나을 거야."

쥘리앵은 친구의 충고를 시골 사람들의 좁은 소견이라고 생각했다. 파리는 위선적인 사람들이 우글거리겠지만 좋은 사람들도 있을 거라고 믿었다. 파리로 간다는 기쁨 때문에 친구의 충고는 귀에 들어오지도 않았다.

다음 날 정오에 베리에르에 도착한 쥘리앵은 가장 행복한 청년이었

다. 누구보다 레날 부인을 만나고 싶었다. 그러나 우선 셸랑 신부를 찾아갔다. 신부는 쥘리앵에게 아무도 만나지 말고 베리에르를 떠나라고 했다. 하지만 쥘리앵은 레날 부인을 만나고 싶었다.

쥘리앵은 신부와 헤어져서 숲으로 왔다. 날이 저물자 그는 어느 농가로 가서 사다리를 산 후, 밤이 되자 그것을 가지고 레날 시장 집으로 갔다. 철창문은 모두 잠겨 있었다. 그는 사다리로 레날 부인의 침실 창 아래에까지 다다랐다. 덧문에는 작은 구멍이 뚫려 있었다. 그 구멍으로 빛이 새어 나오지 않는 것을 보고 쥘리앵은 낭패한 듯 혀를 찼다.

'혹시 부인이 없는 걸까? 방에 들어갔다가 레날 씨나 다른 사람과 마주치게 되면 큰일인데⋯⋯. 이대로 그냥 돌아갈까? 아니야, 부인을 꼭 보고 떠나야 해. 부인은 나를 보면 어떤 표정을 지을까? 부인은 나와의 일을 후회하고 신앙이 아주 좋아졌다고 했어. 하지만 나에게

편지와 돈을 보낸 것을 보면 아직도 미련이 있는 것이 분명해.'

쥘리앵은 가슴이 뛰었다. 그는 돌멩이로 창문을 두드렸다. 어디서 그런 용기가 생겼는지 점점 세게 두드렸다. 그리고는,

"놀라지 마세요. 접니다."

하고 몇 번 말했다. 방 안은 쥐 죽은 듯이 조용했다.

잠시 후 칠흑 같은 어둠 속에서 하얀 물체가 방을 가로질러 왔다. 그리고 유리에 뺨을 갖다 댔다.

"저예요."

그러자 창문의 걸쇠를 여는 소리가 들렸다. 쥘리앵은 창문을 밀어 열고 방 안으로 뛰어들어갔다. 흰 그림자가 놀라며 뒤로 물러섰다. 쥘리앵은 다가가 그 팔을 잡았다. 분명히 여자의 팔이었다. 작게 부르짖는 소리로 그 사람이 레날 부인임을 알자 쥘리앵은 두 팔로 부인을 끌어안았다. 부인은 몸을 벌벌 떨었다.

"이게 무슨 짓이에요?"

쥘리앵은 부인이 진정으로 화를 내고 있다는 것을 알았다.

"1년 2개월 동안 당신이 얼마나 보고 싶었는지 몰라요. 더 이상 참을 수가 없어 만나러 왔어요."

"나가요. 당장 나가요!"

부인은 믿어지지 않을 정도의 힘으로 쥘리앵을 떠밀었다.

"나는 내 죄를 회개했어요. 하느님께서 내 눈을 뜨게 해 주셨어요. 제발 나가 줘요. 어서!"

"그 동안 당신이 너무 보고 싶었습니다. 이렇게 이야기도 못하고 떠날 수는 없습니다."

레날 부인은 마침내 쥘리앵의 간곡함에 지고 말았다. 쥘리앵의 품 속에서 빠져 나가려고 애쓰는 부인을 꼭 껴안고 있던 쥘리앵이 팔의 힘을

풀었다.

"사다리를 끌어올려야겠어요. 혹시 잠이 깬 하인들이 집 안을 돌아보다가 사다리를 보면 곤란해지니까요."

쥘리앵은 사다리를 끌어올렸다.

"결과가 어떻게 되었든 나는 당신을 보내지 않았다는 것만으로 죄를 지었어요. 나는 그저 당신이 불쌍해서 들여보내 준 거예요."

부인의 싸늘한 태도에도 불구하고 쥘리앵의 연정은 미친 듯이 타올랐다.

"나를 불쌍하게 여길 뿐이라니, 그럴 수 있습니까?"

부인은 대답이 없었다. 쥘리앵은 분에 못이겨 흐느껴 울었다. 무슨 말을 할 기력도 없었다. 그는 오랫동안 말없이 울었다. 그가 부인의 손을 잡자 부인은 그 손을 빼내려고 하다가 이윽고 그냥 두었다. 밤은 점점 깊어 갔다. 두 사람은 레날 부인의 침대에 나란히 앉았다.

"제발 어떻게 지냈는지 이야기해 주세요."

쥘리앵은 울먹이는 목소리로 겨우 말했다.

"당신이 떠난 후 온 시내에 소문이 퍼졌어요. 어찌할 바를 몰라하고 있을 때 셸랑 신부님이 찾아오셨어요. 그 분은 나의 고백을 들으려고 했지만 나는 좀처럼 털어놓지 않았어요. 그러다가 저는 부끄러웠지만 결국 모든 사실을 털어놓았어요. 친절하게도 셸랑 신부님은 나를 책망하지 않고 나와 함께 괴로워해 주셨어요. 그 무렵 나는 매일같이 편지를 썼지만 그것을 당신에게 부칠 용기가 나지 않았어요. 그래서 편지를 간직해 둔 채 답답할 때 그것을 꺼내 읽었어요. 결국 그 편지는 셸랑 신부님이 보관해 주셨어요. 신부님은 그 중 다소 안정된 마음으로 쓴 편지는 당신에게 몇 통 보내 주셨어요. 당신은 답장도 해 주지 않았지만."

"나는 당신의 편지를 받은 적이 없어요."

"그럼 누가 편지를 가져갔을까요?"

"대성당에서 당신을 보기 전까지 당신이 어떻게 지내는지조차 모르고 있었어요. 내가 얼마나 괴로웠는지 모를 거예요."

"하느님의 은총으로 나는 내가 얼마나 큰 죄를 지었는지 깨달았어요. 그렇게 소중히 여기던 편지들을 신부님에게 넘겨 드린 후 어느 정도 평온한 생활을 했어요. 그러니 제발 이 평온함을 깨뜨리지 마세요."

쥘리앵은 부인의 손에 키스를 퍼부었다. 부인은 쥘리앵이 아직도 울고 있는 것을 알았다.

"울지 마세요. 이젠 당신이 어떻게 지냈는지 말해 주세요."

쥘리앵은 신학교에 입학해서 자기가 겪은 어려움과 성경 복습 교사가 된 뒤 지내기가 훨씬 편해졌다는 이야기를 했다. 그리고는 말을 이었다.

"오랫동안 소식을 들을 수 없었던 당신이 5백 프랑을 보내 주었죠."

"나는 돈을 보낸 일이 없어요."

"파리의 소인이 찍히고 폴 소렐이라고 서명되어 있었어요. 남의 눈을 속이기 위해서였죠?"

그 편지를 누가 보냈을까를 한동안 이야기하다가 두 사람의 기분은 달라졌다. 어느 사이에 레날 부인도 쥘리앵도 딱딱한 말투를 버리고 연인 사이의 다정한 말투로 돌아갔다.

얼마나 시간이 흘렀을까 걱정이 된 레날 부인이,

"이젠 돌아가셔야죠."

라고 말했다.

쥘리앵은 이 곳을 떠나 멀리 파리로 떠난다고 이야기했다.

"파리로 간다고요?"

레날 부인은 자기도 모르게 소리를 질렀다.

"그렇습니다. 이제 더 이상 당신을 볼 수 없습니다. 영원히 이별입니다. 부디 행복하세요. 안녕히."

쥘리앵은 창가로 가서 창문을 열려고 했다. 그 때 레날 부인이 달려가 그의 품 속에 뛰어들었다.

이윽고 새벽의 서광이 비치기 시작했다. 쥘리앵은 부인의 방에 하루 종일 숨어 있다가 다음 날 떠나겠다고 말했다.

"마음대로 하세요. 이렇게 된 이상 어쩔 수 없잖아요."

쥘리앵의 품에 안긴 채 레날 부인이 말했다.

"남편도 예전과 달라서 의심이 많아요. 나에게 무척 심하게 대해요. 그이가 이 사실을 알면 난 끝장이에요. 아마 날 쫓아낼지도 몰라요."

아침 해가 높이 떠서 방 안을 훤히 비추었다.

1년이 넘게 깊은 신앙생활에서 얻은 부인의 결심도 쥘리앵의 용기 앞에서 어이없이 무너져 버렸다.

날이 밝자 집 안이 웅성거리며 활기를 띠기 시작했다. 레날 부인은 안절부절못했다.

"어쩌면 좋아요? 이제 엘리자가 들어올 거예요. 이 커다란 사다리를 어떻게 하지요? 아! 좋은 수가 있어요. 헛간에 갖다 두어야겠어요."

"하지만 그 곳까지 어떻게 가지고 가죠? 헛간에 가려면 하인 방을 지나야 하는데."

"복도에 사다리를 내놓고 다른 데로 심부름을 보내죠, 뭐."

"하인이 복도를 지나다 사다리를 보고 이상하게 여길지도 몰라요. 그러니 적당히 둘러댈 말을 생각해 두세요."

"걱정 말아요."

레날 부인은 쥘리앵에게 키스를 하며 말했다. 쥘리앵은 부인의 들뜬 모습에 놀랐다. 레날 부인은 사다리를 들어올렸다. 그녀에게는 꽤 무거운 사다리여서 쥘리앵이 도와주려고 다가갔다. 그러나 어디서 그런 힘이 나오는지 그녀는 그의 도움을 받지 않고도 가볍게 사다리를 들어올렸다. 그녀는 그것을 복도에 들고 나가 벽에 기대어 두었다.

부인은 하인을 불렀다. 하인이 옷을 입는 동안 그녀는 비둘기장으로 올라갔다. 5분 후 돌아와 보니 사다리가 사라져 버렸다. 부인은 온 집을 뒤졌다. 사다리는 아랫방에 있었다. 하인이 그 곳에 둔 것이다. 그런데 이상하게도 안 보이게 숨겨 놓았다.

부인은 쥘리앵에게 사다리 이야기를 했다.

"하인이 사다리에 관한 이야기를 남편에게 하면 어떡하죠? ……하지만 당신에게 사다리를 판 농부를 찾으려면 하루는 걸릴 거예요. 이리로 오세요. 데르빌 부인 방에 우선 숨겨 드릴게요. 그 방은 항상 자물쇠가 채워져 있어요. 누가 문을 두드려도 절대 열어 주지 마세요."

그 날 레날 시장은 외출하지 않았다. 점심때가 될 때까지 레날 부인은 쥘리앵에게 먹을 것을 가져다 줄 틈을 낼 수가 없었다. 종이 울리고 식사가 나오자 그녀는 따뜻한 수프 한 접시를 쥘리앵이 있는 방으로 갖다 주었다.

이윽고 밤이 되었다. 부인이 머리가 아프다는 핑계를 대자 레날 시장은 혼자서 카지노에 나갔다. 레날 부인은 서둘러 부엌에서 고기와 빵을 한 덩어리 들고 쥘리앵에게로 왔다. 쥘리앵은 레날 부인을 힘껏 껴안았다. 이 때처럼 그녀가 아름다워 보인 적이 없었다.

'파리에 가더라도 이렇게 착한 여자는 만나지 못할 거야.'

쥘리앵이 식사를 하고 있는데 누군가 방문을 거칠게 흔들었다. 레날 시장이었다.

"왜 방문을 잠갔지?"

쥘리앵이 소파 밑으로 기어들어갔을 때 레날 씨가 들어왔다. 레날 씨는 조금 전까지 쥘리앵이 앉아 있던 의자에 앉았다.

"야식을 먹었어요."

"그까짓 야식을 먹으면서 문을 잠그는 사람이 어디 있어!"

레날 부인은 머리가 아파서 그랬다며 둘러대었다. 그 때 레날 시장이 앉은 의자에서 세 발짝쯤 떨어진 곳에 쥘리앵의 모자가 보였다. 그녀는 침착하게 옷을 벗었다. 그리고 남편 뒤로 가서 쥘리앵의 모자 위에 옷을 올려놓았다.

레날 시장은 밖으로 나갔다. 그러자 부인은 겁도 없이 쥘리앵에게 신학교에서 있었던 이야기를 해달라고 졸랐다. 도무지 조심성이라고는 없었다. 두 시쯤 되었을 때 세차게 문을 두드리는 소리가 났다.

"빨리 문을 열어요. 집 안에 도둑이 들었소. 어제 아침에 도둑이 갖고 온 사다리를 발견했다오."

레날 시장이었다. 두 사람은 당황했다.

"화장실 창문에서 안마당으로 뛰어내려 정원 쪽으로 달아나겠소. 내 옷을 뭉쳐서 정원으로 던져 주시오. 그 때까지는 문을 부수더라도 열어 주지 마시오. 그리고 절대로 고백하면 안 돼요."

"뛰어내렸다가는 죽을지도 몰라요!"

부인은 화장실 창문까지 쥘리앵을 따라왔다. 그리고 그의 옷을 감추고 나서 문을 열어 주었다. 남편은 화가 머리 끝까지 났다. 그는 말 한 마디 없이 침실과 화장실을 둘러보고는 나갔다. 나가자마자 레날 부인은 쥘리앵의 옷을 밖으로 던졌다. 쥘리앵은 그것을 집어 들고 두브 강 쪽으로 달려갔다. 총탄이 스쳐 가는 소리가 나더니 계속 총성이 들렸다. 그러나 다행히 맞지 않았다.

"레날 씨가 아니군. 총 쏘는 솜씨가 너무 서툴러."

그로부터 한 시간 뒤 쥘리앵은 베리에르에서 멀리 떨어진 거리를 걷고 있었다.

파리 도착

우편 마차를 타고 졸다 보니 멀리 파리가 보였다. 그러나 쥘리앵은 아무런 감동이 없었다. 베리에르에서의 마지막 추억이 생생하게 떠올랐기 때문이다.

'베리에르에 도착한 날 밤, 레날 부인의 침실 창문에 사다리를 놓았을 때 그 방에 다른 사람이나 레날 씨가 있었다면 어떤 일이 벌어졌을까?'

쥘리앵은 우선 말메종으로 갔다.

말메종은 나폴레옹이 살던 옛 저택이었다. 나폴레옹을 영웅으로 여기는 쥘리앵은 얼마나 감격했는지 모른다. 그는 나폴레옹을 생각하며 눈물을 흘렸다.

파리에 도착하고 사흘째 되는 날, 피라르 신부를 만났다. 피라르 신부는 쥘리앵에게 앞으로 파리에서의 생활에 대해 무뚝뚝하게 설명해 주었다.

"이제부터 자네는 프랑스에서도 손꼽히는 라몰 후작 댁에서 생활하는 거야. 일주일에 세 번은 반드시 신학교에 가서 공부를 해야 하네. 그리고 정오엔 후작의 도서실에 가서 기다리고 있어. 후작은 소송과 기타 사무적인 일로 자네가 편지를 써 주길 원한다네. 여덟 시에는 서재를 정리하고 열 시에는 자유의 몸이 되는 거네. 혹시 늙은 귀부인이나 상냥한 말씨의 사나이가 와서 유리한 조건을 내걸거나 돈을 주면서 후작에게 온 편지를 보여 달라고 하더라도 절대로……."

그 때 쥘리앵이 말을 막았다.

"신부님, 절대 그런 일은 없을 거예요."

"미안하네. 자네를 믿네. 이상한 점은 후작은 자넬 알고 있다는 거야. 당분간은 매달 2천 프랑씩 줄 거야. 후작은 무슨 일에나 변덕이 심한 사람이지. 아무것도 아닌 일로 자네와 다투게 될지도 몰라. 후작의 마음에 들면 자네 봉급은 8천 프랑까지 오를 거야. 문제는 자네가 후작에게 도움이 되느냐 안 되느냐에 달렸어. 되도록 말을 적게 하고 모르는 일에 대해서는 절대로 입을 열지 말게."

"꼭 명심하겠습니다."

"후작에겐 아들과 딸이 하나씩 있는데 아들은 대단한 멋쟁이야. 재주도 있고 용기도 있지. 후작은 아들 노르베르 백작과 자네가 친구가 되어 주길 원하네. 내가 만약 자네라면, 그 친구에게 허점을 보이지 않을 걸세. 어쩌면 그 젊은 친구는 자네를 얕잡아 볼지도 몰라. 자넨 일개 평민에 지나지 않으니까. 노르베르 라몰 백작은 경기병 중대장이고, 앞으로 의원이 될 사람일세. 특히 그가 하는 농담에 조심하게. 나중에 내가 무슨 소리를 듣지 않도록 잘해 주게."

"나를 경멸하는 사람에게 대꾸하지 않으면 되겠네요."

"자넨 그 경멸을 잘 모를 거야. 파리 사람들은 지나치게 정중한 말로 경멸하거든. 자네는 어쩌면 거기에 걸려들지도 몰라."

"이곳을 참지 못하겠으면 다시 브장송 신학교로 가면 되지요."

"……그리고 자네는 라몰 후작 부인도 만나게 될 걸세. 몸집이 큰 여자지. 신앙심이 깊고 자부심이 강해. 이 귀부인의 성격이야말로 높은 신분의 여자들이 갖고 있는 성격을 다 갖고 있다고 보면 되네. 그녀는 돈에는 별로 관심이 없다네. 이 말에 자네는 놀라겠지만, 아마도 돈이 너무 풍족해서일 거야. 이곳은 시골과는 다르네. 많은 귀족들이 역대 왕에 대해 비판하는 소리를 듣게 될 거야. 그러나 부인 앞에서는 왕에 대해 이야기할 때 조심하게나."

"신부님, 저는 아무래도 이 곳에 그리 오래 있을 것 같지 않군요."

"그건 나도 동감이야. 하지만 우리 같은 사람들은 대귀족의 도움 없이는 출세하기 힘들어. 자네 성격은 한 마디로 꼬집어서 말하기 어려운 데가 있어. 그것 때문에 자네는 출세를 하거나 박해를 받을 걸세. 그러니 조심하게. 자네는 앞으로 사교계에서 존경을 받게 되든 큰 봉변을 당하게 되든 두 갈래 길을 가게 될 거야. 언젠가는 후작이 자넬 위해 얼마나 특별 배려를 했는지 알게 될 걸세. 그러니 그 댁 가족에 대해 평생토록 감사의 마음을 가져야 하네. 내가 이런 말을 하는 이유는 자네가 좀더 신중해 주었으면 해서야. 후작 부인의 거만한 태도나 아들의 짓궂은 장난 때문에 힘들면 그 때는 파리에서 12킬로미터 떨어진 신학교로 가서 학업을 마치도록 하게. 만약 이 곳 생활이 힘들고 참을 수 없다면 자네를 내 교구의 부사제로 데리고 올 수 있도록 하지."

신부의 말은 따뜻했다. 쥘리앵의 눈시울이 뜨거워졌다.

"저는 태어나면서부터 아버지의 미움을 받았습니다. 그것이 저에게는 커다란 불행이었습니다. 하지만 저는 이제 운명을 탓하지 않겠습니다. 진정한 의미의 아버지 같은 신부님을 만났으니까요."

"알았네, 알았어. 그러나 운명이란 말은 하지 말게. 대신 신의 섭리라는 말을 쓰게."

신부는 쑥스러운 듯이 말했다.

쥘리앵은 피라르 신부와 함께 라몰 후작 집으로 갔다. 문지기의 엄숙한 태도와 깨끗이 손질된 정원을 보고 쥘리앵은 눈이 휘둥그레졌다.

"굉장한 건물이로군요."

첫 걸음

쥘리앵은 정원 한가운데에 멍청하게 서 있었다.

"이봐. 정신 좀 차리게. 자넨 가끔씩 어린애같이 되어 버린단 말이야. 이 집 하인들이 자네의 모습을 보면 뭐라고 하겠나? 하인들은 자네가 저희보다 윗자리에 앉는 것을 못마땅하게 여길 걸세. 겉으로는 친절하면서 속으로는 자넬 비웃을 거라고."

쥘리앵은 라몰 후작 집을 둘러보면서,

'이런 멋진 집에서 살 수 있다는 것은 얼마나 행복한 일인가!'

하고 생각했다.

두 사람은 이 훌륭한 집에서 가장 초라한 방으로 안내되었다. 햇빛도 제대로 들어오지 않는 방이었다. 그 방 안에 키가 작고 야윈 사내가 앉아 있었다. 신부는 쥘리앵에게 그를 소개했다. 그가 바로 라몰 후작이었다. 쥘리앵은 그가 후작이라는 것이 믿어지지 않았다. 거기다 그는 쥘리앵에게 무척 정중했다.

그 인상 덕분에 라몰 후작이 전혀 두렵지 않았다. 면접은 3분도 걸리지 않았다. 서재를 나오자 피라르 신부가 쥘리앵에게 말했다.

"자네는 라몰 후작을 뚫어지게 바라보더군. 마치 초상화라도 그리려는 듯이 말일세. 그런 태도는 예의에서 벗어나는 일이니 조심하게."

두 사람은 다시 마차에 올랐다. 마부는 어떤 돌담 곁에 마차를 세웠다. 신부는 쥘리앵을 살롱이 많은 곳으로 데리고 갔다. 말쑥한 옷차림을 한 신사가 웃으며 쥘리앵에게 다가왔다. 쥘리앵은 약간 고개를 숙였다. 그러자 신사는 빙그레 웃으며 쥘리앵의 어깨에 손을 얹었다. 쥘리앵은 너무 놀라 뒤로 물러나 화를 냈다.

"무슨 짓이오?"

그 말에 신부는 눈물이 날 정도로 웃어댔다. 그 신사는 양복점 주인이었다.

그 양복점을 나오면서 신부가 쥘리앵에게 말했다.

"가고 싶은 곳이 있으면 갔다 오게. 이틀 동안은 시간이 있으니 마음대로 지내도 된다네. 모레 아침 양복점 주인이 옷을 두 벌 가져올 걸세. 옷을 가져온 사람에게 5프랑 정도 주게. 그리고 그들 앞에서 말을 삼가게. 혹시 자네 말 한 마디로 자네를 깔보고 덤빌 수 있을 테니까. 아, 그리고 구두와 내의와 모자를 여기 적힌 가게로 가서 주문해 두게."

"예."

"후작이 자네를 쓰는 것은 자질구레한 일을 덜기 위해서야. 그러니 그 분이 자네에게 시킬 일을 일일이 말하기 전에 척척 해치울 만한 눈치를 키우게. 거기에 자네의 장래가 달려 있으니 명심하게!"

이틀 뒤에 쥘리앵은 피라르 신부를 찾아갔다.

"멋진 신사가 되었군."

두 사람은 함께 라몰 후작 집으로 갔다. 후작은 쥘리앵을 다락방으로 안내했다. 후작은 쥘리앵에게 내의를 몇 벌 샀냐고 물었다. 쥘리앵은 대귀족이 그런 자질구레한 것까지 관여한다는 것에 다소 실망했다. 다락방에서 내려오는 도중에 라몰 후작이 한 노인을 불러 말했다.

"아르센, 앞으로 이 소렐 군을 시중 들도록 하게."

이윽고 쥘리앵은 도서실에 혼자 있게 되었다. 그는 책상에 꽂힌 책들을 황홀한 표정으로 바라보았다.

'이젠 이 모든 책들을 읽을 수 있게 되었어……. 자, 이제 내가 써야 한다는 편지가 어떤 것인지 좀 보자.'

일을 마친 다음 쥘리앵은 책장 쪽으로 다가갔다. 볼테르 전집이 있었다. 너무 기뻐서 미칠 것 같았다. 그리고는 볼테르의 책들을 일일이 펼쳐 보았다.

한 시간 후에 라몰 후작이 와서 쥘리앵이 써 놓은 편지를 보고 조금은 실망했다. 글자의 철자 하나가 틀렸던 것이다.

'피라르 신부가 실력이 뛰어나다고 칭찬을 했는데 터무니없는 말이었던가 보군. 역시 시골 풋내기는 써 보았자 시간 낭비야.'

잠시 후에 후작은 쥘리앵을 불렀다. 후작은 부츠를 신은 쥘리앵을 보더니,

"앞으로는 부츠를 신지 말게. 그 대신 긴 양말을 신고 단화를 신게."라고 말했다. 그리고는 쥘리앵을 살롱으로 안내했다. 거기서 그는 후작 부인을 소개하고 방 안에 있는 남자들을 소개했다. 거기에는 국왕이 베리에르에 왔을 때 쥘리앵과 이야기한 적이 있는 젊은 주교도 있었다. 주교는 쥘리앵을 알아보지 못했다. 그리고 얼마 있으려니, 후리후리한 청년이 들어섰다. 얼굴이 체구에 어울리지 않게 작았다.

후작의 아들인 노르베르 백작이었다. 쥘리앵은 그 청년이 피라르 신부 말대로 자기를 괴롭힐까 하고 바라보았다. 그러다가 그가 부츠를 신은 것을 보고서야 레날 후작이 부츠를 신지 말라고 한 이유를 알았다.

'아랫사람이라는 것을 알 수 있도록 단화를 신어야 했군.'

모두들 식탁에 둘러앉았다. 아름다운 금발에 단정한 외모의 젊은 여자가 쥘리앵 옆에 앉았다.

'레날 부인도 아름다웠지. 누구나 레날 부인을 보고 감탄을 했었어.'

그 여자는 후작의 딸 마틸드였다. 마틸드는 쥘리앵이 좋아하지 않는 후작 부인을 많이 닮은 것 같았다. 그래서 시선을 그녀에게 두지 않았다. 그에 반해 아들 노르베르 백작은 나무랄 데 없는 사람 같았다. 피라

르 신부의 말처럼 지체가 높다고 해서 자기를 깔볼 것 같지는 않았다. 쥘리앵은 백작이 마음에 들었다. 두 번째 요리가 나왔을 때에야 후작은 사람들에게 쥘리앵을 소개했다.

"이번에 내 비서로 온 쥘리앵 소렐이다. 난 이 청년을 훌륭한 사람으로 만들고 싶다."

모두가 쥘리앵을 바라보았다. 후작은 사람들에게 쥘리앵이 어떤 교육을 받았는지 벌써 이야기해 두었던 모양인지 손님 중 한 사람이 호라티우스에 관해 질문을 했다. 쥘리앵의 답변으로 만찬이 다소 재미가 있어졌다. 그러나 후작은 너무 많은 것을 쥘리앵에게 질문하지 말라고 눈짓을 보냈다. 후작은 시골뜨기인 쥘리앵이 알아 보았자 얼마나 알고 있겠느냐고 생각했던 것이다.

낯선 생활

다음 날 아침, 쥘리앵은 일찍부터 도서실에서 일하고 있었다. 그러자 책장으로 교묘히 가려진 작은 비밀 출입문이 열리면서 마틸드가 들어왔다. 쥘리앵이 그 출입문의 장치에 감탄할 때 마틸드는 생각지도 않은 쥘리앵이 있어 꽤 난처한 표정을 지었다. 그녀는 아버지가 없는 틈을 타서 도서실의 책을 훔치러 온 것이었다. 그녀는 볼테르의 《비밀의 왕녀》 제2권을 가지러 온 참이었다.

오후 세 시 즈음엔 아들이 도서실에 나타났다. 저녁 모임에서 정치에 대해 이야기하려고 신문을 읽으러 온 것이다. 그는 쥘리앵을 보자 대뜸 말을 걸었다.

"우리 같이 말을 탈까요?"

쥘리앵은 백작이 자기에게 '우리'라는 말을 쓴 것에 기분이 좋았다.

"곤란합니다. 저는 나무를 잘라 판자를 만드는 일은 자신 있지만 말은 지금까지 여섯 번밖에 타 보지 못했습니다."

"그럼 이번이 일곱 번째가 되겠군요."

이렇게 해서 두 사람은 말을 타고 집을 나섰다. 불로뉴 숲에서 돌아오는 길에 쥘리앵은 앞을 가로막는 마차를 피하려다 그만 길 가운데 떨어져 흙투성이가 되고 말았다. 저녁 식사를 할 때 후작은 쥘리앵에게 승마 이야기를 물었다. 그러자 노르베르가 별일 없었던 것처럼 이야기를 했다. 그러나 쥘리앵은 사실대로 말했다.

"백작님은 제게 무척 친절하십니다. 충심으로 감사를 드립니다. 일부러 가장 온순한 말을 골라 주셨는데 제가 그만 거리 한복판에서 굴러 떨어지고 말았습니다."

그 말에 마틸드는 웃음을 터뜨리며 자세하게 이야기해 달라고 졸랐다. 쥘리앵은 조금도 꾸미지 않고 이야기를 했다. 그 솔직한 말투는 사람들을 매료시켰다. 쥘리앵은 자기의 실수를 이야기해서 여러 사람들의 호감을 샀다.

다음 날 오후, 쥘리앵은 용기를 내어 노르베르 백작의 방으로 찾아갔다. 백작은 마침 승마를 하러 나가려던 참이어서 쥘리앵의 방문을 난처해했다.

"여러 가지 친절하게 대해 주셔서 감사 드리려고 왔습니다. 오늘 한번 더 말을 태워 주셨으면 합니다."

쥘리앵은 진지한 얼굴로 부탁했다. 백작은,

"얼마든지!"

하며 허락했다.

"여긴 말을 빨리 모는 난폭한 마부들이 많으니 주의해요. 떨어졌다가는 마차에 깔리기 쉽습니다."

노르베르 백작은 그 날 오후 쥘리앵이 말에서 떨어지려고 하는 것을 여러 번 보았다. 하지만 별다른 사고는 일어나지 않았다. 식사 시간에 백작은 아버지에게 쥘리앵의 담대함을 칭찬했다.

모두 쥘리앵에게 친근하게 대했지만, 시간이 지나면서 쥘리앵은 외로움을 느끼기 시작했다. 모든 것이 자기에게는 낯설었다.

파리의 귀족들

쥘리앵은 라몰 후작 저택의 살롱에서 일어나는 모든 일이 신기하게 느껴졌다.

마찬가지로 다른 사람들도 창백한 얼굴에 검은 옷을 입은 쥘리앵이 이상하게 보였다. 라몰 부인은 손님을 초대하는 날에는 일부러 쥘리앵에게 특별한 용무를 만들어 외출시키는 것이 어떻겠냐고 후작에게 말했다. 그러나 후작은 쥘리앵에게 다양한 경험을 쌓게 하고 싶다고 했다.

한편, 쥘리앵은 이 곳 사정과 분위기를 잘 알기 위해 이 집 살롱에 드나드는 사람들의 이름을 하나하나 적고 그들의 특징과 성격을 적어야겠다는 생각을 했다.

쥘리앵은 몇 명의 이름을 적어 보았다. 모두 후작에게 잘 보이려고 아첨을 하는 사람들이었다. 그러나 그들은 라몰 후작에게 천대를 받아도 가만히 있지만, 라몰 부인에게 불쾌한 말을 들으면 그 자리에서 화를 내기도 했다.

쥘리앵은 살롱에서는 라몰 후작이 망명 중에 알게 되었다는 두 명의 백작과 다섯 명의 남작이 이야기할 때 활기가 생긴다는 것을 알게 되었다. 그 중 한 사람은 궁정의 일화를 많이 이야기했다. 쥘리앵은 살롱에서 그런 평범한 이야기를 열심히 주고받으려는 사람들의 태도가 이해가 되지 않았다.

쥘리앵은 살롱에 오는 사람들로부터 라몰 부인이 20년 이상 라몰 후작 살롱에 출입한 보답으로 왕정 복고 이래로 군수를 지내 온 가엾은 르부르기뇽 남작을 승진시켜 주었다는 말을 들었다. 이 사건을 알게 된 사람들은 그 후로는 무슨 일이 있어도 부인에게 화를 내지 않았다.

어느 날 아침, 도서실에서 피라르 신부와 쥘리앵은 아직도 결말이 나지 않은 프릴레르 부주교와의 소송 사건을 조사하고 있었다. 쥘리앵이 신부에게 물었다.

"신부님, 제가 날마다 이 집 식구들과 함께 저녁식사를 하는 것은 제 의무일까요? 아니면 저에 대한 후작님의 호의일까요?"

"저녁을 함께 한다는 것은 큰 명예지."

"하지만 저에게는 그게 가장 괴로운 일입니다. 차라리 싸구려 식당에 가서 마음 편하게 먹었으면 좋겠습니다."

그 때 무슨 소리가 났다. 두 사람은 소리가 나는 쪽으로 고개를 돌렸다. 마틸드였다. 그녀는 책을 가지러 왔다가 두 사람의 이야기를 듣게 되었다. 마틸드는 쥘리앵이 누구에게나 굽실거리지 않는 사람이라고 생각했다.

거의 매일 밤마다 후작 부인의 큼직한 안락 의자 그늘에서 작은 그룹이 형성되었다. 마틸드는 그 중심인물이었다. 쥘리앵은 그들이 주고받는 이야기를 들으며 몇 번이나 웃음이 나왔다. 재미없는 이야기에 그렇게 열중하는 모습이 우스웠던 것이다.

후작은 쥘리앵에게 브르타뉴와 노르망디에 있는 영지 관리를 맡겼다. 쥘리앵은 그곳으로 가끔씩 여행을 갔다. 또한 그는 프릴레르 부주교와의 소송에 관계된 서신을 도맡아 취급했다.

피라르 신부는 쥘리앵을 장세니스트 가정에 데리고 다녔다. 그것은 쥘리앵에게 놀라운 경험이었다. 그는 경건하고 근엄한 사람들이 금전 문제에 전혀 관심이 없는 것을 보고는 감탄했다. 사실 쥘리앵은 종교가들을 위선적이라고 생각했었다. 겉으로는 경건한 척하면서 속으로는 돈을 벌고 싶은 욕망이 있는 사람들이라고 여겼던 것이다.

그들은 쥘리앵에게 호의를 보이고 이것저것 충고도 해 주었다. 쥘리앵은 이들 중 알타미라 백작이라는 사람과 사귀게 되었다. 그는 체격이 큰 사람으로 영국에서 자유주의자로 사형선고까지 받은 사람이었지만 신앙심이 깊고 경건했다. 경건한 신앙을 갖고도 자유에 대한 열망이 있는 것에 쥘리앵은 감동을 받았다.

반면 노르베르 백작과의 사이는 서먹해졌다. 노르베르는 자기 친구들의 농담을 쥘리앵이 민감하게 받아들이는 것을 보았다. 라몰 후작 집안에서는 여전히 정중한 대접을 받았지만 쥘리앵은 이 모든 것이 시큰둥했다.

이제 쥘리앵은 화려한 도시생활에 대한 동경과 도취에서 벗어난 것인지도 모른다. 일이 끝나면 쥘리앵은 못견디게 우울했다. 물론 시골의 비속하고 몰상식한 말투가 마음에 들지 않았지만 그들에게는 인정이 있었다. 쥘리앵은 저녁이 되면 곧잘 울고 싶어졌다. 자신은 파리에서 영원한 이방인 같았다.

끈기 있게 일하고 말수도 적고 영리한 쥘리앵을 후작은 신뢰하게 되었다. 그래서 처리하기 힘든 일까지도 그에게 맡겼다. 후작은 자기의 높은 신분으로 얻은 정보를 활용하여 증권 거래에 성공했다. 그렇게 번 돈으로 집과 토지를 사들였다. 어쩌다 소유 문제가 발생하면 그 땅값보다 20배 넘게 드는 소송 비용에도 불구하고 곧잘 재판을 걸었다. 돈 많은 사람들은 일의 성과보다 일 자체에 재미를 느끼고 있는 것 같았다.

런던 방문

후작은 한 달 보름 전부터 신경통으로 꼼짝 못하고 집 안에 틀어박혀 있었다. 마틸드와 후작 부인은 처가에 가 있었다. 노르베르 백작이 가끔 아버지를 문병했다. 이 부자는 사이가 좋은 편이지만 이야기를 많이 하지는 않았다.

어느 날, 후작이 쥘리앵에게 말했다. 그 말은 귀족답지 않게 너무 공손했다.

"소렐 군, 청색 양복 한 벌을 선물로 주고 싶은데, 받아 주겠나? 그 옷을 입고 나에게 와 주게. 그러면 아마 내 공작 친구의 아들같이 보일 걸세."

쥘리앵은 후작의 태도에 대해 생각했다.

'나를 놀리는 건가?'

이튿날 아침, 쥘리앵은 서명을 받을 편지와 가방을 들고 후작에게로 갔다. 저녁에는 후작이 선물한 청색 양복을 입고 갔더니 후작은 어제처럼 정중한 태도를 보였다.

신경통은 겨울의 추운 날씨 때문에 더욱 심해져 후작은 몇 달 동안 고생을 했다. 후작은 쥘리앵의 꿋꿋한 성격을 알게 되자 매일 새로운 일을 맡겼다.

'내가 변덕만 생기지 않으면 유서에 5백 루이짜리 다이아몬드를 쥘리앵에게 물려주겠다고 쓸 것 같아.'

어느 날, 후작은 사무 정리를 마치고 쥘리앵에게 증권 거래소에서 가져온 지폐 뭉치를 선물로 주려고 했다.

"송구스럽지만 이 선물은 받을 수 없습니다."

쥘리앵은 공손하게 허리를 굽히고 후작을 바라보지도 않은 채 밖으로 나왔다.

'역시 소렐 군의 태도는 훌륭하단 말야. 쥘리앵을 멋진 귀족으로 만들어 줘야지.'

며칠 후, 후작은 겨우 외출을 할 수 있을 정도로 회복되었다.

"두 달 동안 런던에 가서 바람 좀 쐬고 오게."

쥘리앵은 런던에서 러시아 귀족들을 만났다. 그들은 쥘리앵에게 댄디즘과 정치에 대해 생각할 수 있게 해 주었다.

"소렐 씨, 당신은 우리가 찾던 사람입니다. 당신은 멋진 풍모를 갖고 있습니다."

코라조프 공작이 말했다.

어느 날, 쥘리앵은 코라조프 공작과 함께 한 살롱에 초대되었다. 쥘리앵은 거기서 갈채를 받았다. 사람들은 쥘리앵의 태도와 말투에 대해 칭찬을 아끼지 않았다. 그리고 그 사실은 런던 대사관의 젊은 서기관들 사이에서 화젯거리가 되었다.

그가 귀국하자 라몰 후작은 영국에서 보낸 이야기를 해 달라고 했다.

"영국의 인상은 어떻던가?"

"영국에서는 아무리 현명한 사람도 하루에 한 시간은 미친 사람이 돼요. 그리고 아무리 뛰어난 사람도 영국에 도착하면 25퍼센트 정도는 그 재능이 퇴보해요. 그러나 영국의 자연은 너무도 아름다웠어요."

"자네는 러시아 대사관에서 열린 무도회에 가서 프랑스에는 전쟁을 원하는 젊은이가 많다고 했다지? 그런 말은 군주에 대한 예의가 아니라네."

"저는 외교관과 이야기할 때 어떤 이야기를 해야 할지 몰랐습니다."

"그런데 내가 왜 자네를 영국에 보냈다고 생각하는가?"

"잘 모르겠습니다."

"자넨 십자훈장을 받으러 그 곳에 다녀온 셈이라네. 앞으로 명심할 것은 자네가 십자훈장을 받으면 자네는 레츠 공작의 둘째 아들이 되는 거야. 그 분은 반 년 전부터 외교관으로 활약하고 계시지. 그렇다고 자네의 신분을 올려 주는 것은 아닐세. 자네가 하는 일이 싫어지거나 내가 자네를 필요로 하지 않게 되면 자네가 일할 좋은 교구를 하나 주선하겠네."

쥘리앵은 십자훈장이란 말에 기분이 좋아졌다. 이젠 귀족들로부터 멸시도 바보 취급도 받지 않을 것 같았다.

무 도 회

어느 날, 쥘리앵은 센 강변의 아름다운 빌르키에의 영지에서 돌아왔다. 그 곳은 라몰 씨가 소중히 여기는 영지였다.

쥘리앵은 이제 어엿한 멋쟁이로 파리에서 살아가는 요령을 터득했다. 쥘리앵은 마틸드에 대해 아주 냉담한 태도를 취했다. 마틸드는 쥘리앵이 어른스러워지고 시골티가 가셨지만 말투만은 여전히 고지식하고 딱딱하다고 생각했다. 그녀는 라몰 후작이 쥘리앵에게 십자훈장을 주었다고 빈정대기도 했다. 그녀는 자기 또래의 남자들보다 뛰어난 두뇌를 가지고 있었다. 또 그 남자들이 무슨 말을 할지 미리 짐작하고 있었다. 마틸드는 쥘리앵을 바라보았다. 적어도 쥘리앵만은 자기 또래의 남자들과는 다를 것 같은 생각이 들었다.

"소렐 씨, 오늘 저녁에 레츠 씨 댁에서 열리는 무도회에 같이 갈래요?"

"아가씨, 저는 아직 그 공작 분께 인사를 드리지 못했습니다."

"그분이 오빠에게 쥘리앵을 모시고 와 달라고 부탁했어요. 같이 가면 빌르키에 영지에 대해 이야기해 주세요. 소문만큼 멋진 곳인지, 얼마나 아름다운 곳인지 알고 싶어요."

쥘리앵은 자기 자신이 이 집 식구가 하라는 대로 할 수밖에 없는 고용된 인간이라고 생각하니 불쾌해졌다.

'이 귀족의 딸은 어쩐지 마음에 안 들어. 무턱대고 유행만 좇고 있거든. 게다가 자기가 무슨 여왕이라도 되는 줄 알지……. 저 거만한 눈초리는 정말 싫어.'

하지만 쥘리앵은 정중한 요청을 거절할 수 없었다.

그날 밤, 무도회가 열리는 레츠 공작 집으로 간 쥘리앵은 그 화려함에 놀랐다. 감탄과 황홀감에 사로잡혀 사교 춤을 추고 있는 첫 번째 홀에 들어섰을 때는 겁이 날 지경이었다. 두 번째 홀에는 움직이지 못할 만큼 손님들이 많이 있었다. 쥘리앵은 그곳에서 청년들이 이야기하는 것을 들었다.

"저 여자가 오늘 무도회의 여왕이야. 정말 멋지지?"

"저 요염한 미소 좀 봐. 빠져들 것 같아."

쥘리앵은 그 화제의 여성을 보려고 했지만 어려웠다. 자기보다 키가 큰 예닐곱 명의 남자들이 앞을 가로막고 있었기 때문이다.

"저 고상한 얼굴 좀 봐. 그리고 교태도 있어."

"저 아가씨 곁에서는 작년에 일등 미인이었던 푸르몽 양도 빛을 잃는군."

"저 아가씨에게 어울리는 남자는 누구일까?"

"아마 얼굴이 잘 생기고 늘씬하고 싸움도 잘 하는 사람이겠지."

"러시아 황제의 사생아는 어떨까? 아니면 농부에게 연미복을 입혀 놓은 것 같은 탈레 백작은 어떨까?"

그 때 앞이 트였다.

'도대체 이 바보 같은 녀석들이 말하는 여자는 누구일까? 어디 한번 이 녀석들의 수준이 어느 정도인지 알아볼까?'

그 때 마틸드가 쥘리앵을 바라보았다. 쥘리앵은 그녀에게 다가갔다. 그녀에게 가려면 5~6명의 청년들을 지나쳐야 했다. 그들 중에는 아까 이야기하던 얼굴도 있었다. 남자들이 예찬한 여성은 바로 마틸드였던 것이다.

마틸드가 쥘리앵에게 말을 걸어 왔다.

"쥘리앵, 이번 무도회가 올해 열린 무도회 중에서 가장 근사하다고 생각하지 않나요?"

쥘리앵은 대답하지 않았다.

"이 4인조 무도곡은 참 멋있어요. 여자들도 춤을 잘 추지요."

청년들은 마틸드가 선택한 행운아가 도대체 누굴까 하고 쥘리앵을 바라보았다.

"아가씨, 저는 그런 것을 잘 모릅니다. 늘 서재에서 일만 하니까요."

청년들은 쥘리앵의 말투에 은근히 화가 났다.

"제까짓 게 뭐라고!"

"당신은 총명한 분이니까 이런 파티를 장 자크 루소 같은 철학자의 눈으로 바라보시겠죠?"

쥘리앵은 입가에 경멸의 빛을 띠었다.

"루소는 제가 보기엔 바보에 불과해요. 특히 상류 사회에 대한 비판은 마음에 들지 않습니다."

"그는 유명한 집필가예요."

마틸드는 자기의 박식을 나타내는 것이 기뻐서 흐뭇한 얼굴을 했다. 그러나 쥘리앵의 싸늘한 태도를 보고 몹시 당황했다.

이 때 크르와즈느와 후작이 미소를 지으며 마틸드를 바라보았다. 젊은 루브레이 후작 부인이 그 곁에 서 있었다. 그녀는 마틸드의 사촌 언니로 두 주 전에 결혼한 남편의 팔짱을 끼고 있었다. 크르와즈느와 후작은 사람이 너무 많아 마틸드 쪽으로 갈 수가 없어 그냥 미소만 지으며 마틸드를 바라보았다.

'어쩌면 이렇게 바보들만 있을까?'
하고 마틸드는 생각했다.

'저 크르와즈느와 후작은 나와 결혼하고 싶어하지. 겸손하고 정중하고 나무랄 데가 없어. 하지만 한 마디로 따분한 사람이야.'

크르와즈느와가 마틸드 곁에 와서 말을 걸었지만 그녀는 대답도 하지 않고 자기 생각에 잠겨 있었다. 그녀는 자기 곁을 떠나는 공손한 모습 속에 어딘지 거만함이 있는 쥘리앵의 뒷모습을 바라보았다. 그러다 영국에서 사형 언도를 받았다는 알타미라 백작이 구석에 있는 것을 보았다.

'인간의 가치 기준을 높이는 것은 사형 선고 정도가 고작이야. 오, 이런! 이 말은 정말 멋진 말인걸.'

마틸드는 유명한 책 속에 있는 경구들을 재치 있게 사용하는 것이 취미였다.

마틸드의 따분한 얼굴이 행복한 얼굴로 바뀌었다.

"알타미라 백작을 아시나요?"

마틸드는 크르와즈느와 후작에게 물었다. 자기가 지금까지 한 이야기와는 전혀 다른 주제를 물은 마틸드를 후작은 참 별난 데가 있는 여자라고 생각했다.

'이런 태도는 좀 곤란하지만, 이 여자와 결혼하면 높은 자리에 앉게 되고 라몰 후작의 사위가 되는 거야. 마틸드는 얼마나 멋진 신붓감인지 몰라. 모든 것을 다 갖추고 있으니 그 이상 바랄 게 없지.'

그는 이런 생각을 하고는 마틸드의 질문에 대답했다.

"그 불쌍한 알타미라를 모르는 사람이 어디 있겠어요?"

그리고 그는 알타미라의 실패담을 이야기했다.

"말도 안 되는 소리군요."

마틸드는 이렇게 중얼거리더니 다시 말했다.

"그분은 용기 있는 행동을 하셨어요. 그분을 만나고 싶어요. 모시고 와 주세요."

크르와즈느와 후작은 알타미라 백작을 마틸드에게 데리고 왔다. 마틸드는 알타미라가 하는 말에 귀를 기울였다.

'무도회에 온 음모를 꾸민 사나이라……. 참 재미있군.'

그녀는 알타미라 백작의 얼굴이 잠든 사자 같다고 생각했다. 그리고는 알타미라 백작의 머릿속에는 한 가지 생각밖에 없다는 것을 알았다. 즉 그는 자기 나라에 양당 체제를 가진 정부를 수립하는 것 외에는 아무것도 관심이 없었다.

그는 이야기를 하다가 페루 장군이 들어오자 오늘의 무도회장에서 가장 아름다운 마틸드의 곁을 주저 없이 떠났다.

수염을 기른 청년들이 마틸드에게 몰려왔다. 마틸드는 알타미라가 자기 매력에 굴복하지 않고 떠난 것을 몹시 불쾌하게 생각했다.

마틸드는 한 시간 전부터 춤 상대가 되어 달라고 조르던 크르와즈느와 후작과 춤을 추었다. 크르와즈느와 후작은 기뻐서 어쩔 줄 몰랐다. 그러나 춤을 추는 것도 여러 남자들의 관심을 받는 것도 마틸드의 기분을 달래주지는 못했다. 그녀는 오늘 밤 제일 주목 받는 여왕이 되었지만 별로 기쁘지 않았다.

'이 사람과 결혼하면 인생이 얼마나 재미없을까. 신은 나에게 명성, 부, 젊음, 아름다움 모든 것을 다 주셨어. 단 한 가지, 행복만 빼 놓고! 아아, 따분해서 견딜 수가 없어. ……그건 그렇고 쥘리앵은 좀 별난 데가 있어. 내가 할 말이 있다고 했는데도 내 앞에 나타나지도 않고 말이야. 건방지기 짝이 없는 남자야.'

"왜 그렇게 시무룩한 얼굴이니?"

라몰 후작 부인이 마틸드에게 물었다.

"머리도 아프고 기분이 나지 않아요. 너무 더워요."

바로 그 때, 늙은 톨리 남작이 실신해서 쓰러졌다. 사람들이 그를 끌어 내는 동안 마틸드는 눈 하나 깜짝하지 않고 계속 춤을 추었다.

'쥘리앵은 어디로 갔을까?'

이윽고 그녀는 다른 방에 가 있는 쥘리앵을 발견했다.

'어머, 알타미라 백작과 이야기하고 있네. 사형 선고를 받은 사람과 말야.'

쥘리앵은 알타미라와 이야기를 하면서 마틸드 쪽으로 다가왔다. 마틸드의 곁을 지날 때 쥘리앵은 알타미라 백작에게 물었다.

"당통(프랑스 혁명의 중심 인물로 과격파의 우두머리. 사형당함)은 참으로 거물이었어요."

그 말을 듣자 마틸드는,

'어머, 이 사람은 당통 같은 사람이 되려나. 하지만 당통은 지독하게 못생겼는데. 저 사람과 다르게 말야.'

라고 생각했다. 마틸드는 쥘리앵을 불렀다.

"당통은 푸줏간 주인이 아니었던가요?"

쥘리앵은 경멸의 눈빛을 감추지 않고 알타미라 백작과의 대화로 생긴 흥분이 가시지 않은 목소리로 대답했다.

"용모로 말하면 굉장히 못생겼지만 그 분은 여기 있는 귀족과 출신이 같았죠. 당통은 메리쉬르센의 변호사였습니다."

그 태도는 '나는 당신들이 질문을 하면 답변을 해야 하는 당신네 가정의 고용인이죠. 그리고 나는 당신들이 주는 돈으로 살아가지요.' 하고 말하는 듯한 태도였다.

그는 눈을 내리깐 채 마틸드를 바라보려고도 하지 않았다.

침묵이 계속되자 쥘리앵은 마침내 마틸드를 바라보았다. 마틸드는 여전히 싸늘한 표정을 지으며 자기를 바라보는 쥘리앵의 눈과 마주쳤다.

'이렇게 아름다운 용모의 사람이 당통 같은 추남을 찬양하다니. 케일뤼스나 크르와즈느와하고는 아주 딴판이야. 하여튼 오늘 밤은 정말 따분해.'

마틸드는 오빠의 팔을 잡았다. 그리고 억지로 오빠를 끌고 무도회장을 돌았다. 쥘리앵이 알타미라 백작과 무슨 이야기를 하는지 궁금했기 때문이었다. 무도회장을 한 바퀴 돌고 났을 때 마틸드는 쥘리앵과 마주쳤다.

알타미라 백작이 쥘리앵에게 말했다.

"저 사람 좀 보세요. 저 사람은 아라셀리 공작이오. 오늘 저 사람은 네르발 씨에게 내 신병 요구를 했어요. 저기서 트럼프를 하고 있는 사람이 네르발 씨예요. 아마도 그는 나를 넘겨줄 생각인가 봐요. 본국으로 송환되면 나는 24시간 이내에 교수형에 처해져요."

"비열한 놈들 같으니!"

쥘리앵은 알타미라 백작의 말에 자기도 모르게 소리내어 중얼거렸다. 마틸드는 이 두 사람의 대화를 엿들었다.

알타미라 백작이 말했다.

"아라셀리 공작 좀 보세요. 장난감 같은 훈장을 보고 좋아서 어쩔 줄 몰라하죠. 백 년 전이라면 금모훈장도 대단한 명예였지만 지금은 아니에요. 그것에 만족하는 사람은 아라셀리뿐이에요. 저 사람은 금모훈장을 받기 위해서 도시 전체의 사람을 죽일 수도 있을 거요."

"아니, 그럼 그런 짓으로 저걸 탔습니까?"

"그렇다고는 할 수 없지만, 자유주의자로 생각되는 자기 나라의 지주들을 아마 삼십 명 정도는 강물에 처넣었을 것입니다."

"사람도 아니군요."

마틸드는 호기심 때문에 쥘리앵의 곁으로 바짝 다가가서 그 이야기를 들었다.

"당신은 아직 젊어요. 나에게는 프로방스로 시집 간 동생이 있다오. 아직도 아름답고 마음씨가 곱지. 게다가 믿음도 깊고 가정 주부로서 나무랄 데가 없어. 누이동생은 아주 행복하다오. 아니, 1815년에는 행복했었지. 그 당시 나는 앙티브 근처에 있는 누이동생 집에 숨어 있었지요. 그 해 원수가 처형당했다는 소식을 듣자 그 애는 기뻐서 춤을 추었답니다!"

"그게 바로 당파 근성이랍니다. 19세기는 이제 참된 정열이 없어요. 그래서 프랑스에서는 모두가 따분해하고 있는 거요."

마틸드는 두 사람 사이로 들어갔다. 노르베르는 누이동생이 하자는 대로 끌려다니는 처지라서 동생의 팔짱을 끼고 다른 쪽을 쳐다보았다.

"사람들은 기쁨도 느끼지 못하고, 또 자기가 한 일을 기억하지 못하면서 죄악을 저지르지요. 이 무도회에는 살인을 저지른 사람이 적어도 열 명은 있을 거예요. 그러나 그들은 그것을 잊고 살지요. 만일 내가 교수대 신세를 지지 않고 여기 파리에 그대로 있게 된다면, 나는 자기 죄를 조금도 후회하지 않는 살인범들과 만찬을 하고 싶습니다. 아마도 당신과 나만이 손을 더럽히지 않은 사람일 것입니다. 그러나 사람들은 나를 피에 굶주린 혁명가로 멸시할 것이고, 당신을 상류 사회로 들어온 평민의 한 사람으로 멸시할 겁니다."

"아마 그럴 거예요."

마틸드가 끼어들었다. 알타미라는 깜짝 놀라 그녀를 바라보았다. 하지만 쥘리앵은 그녀를 거들떠보지도 않았다.

"내가 지휘한 혁명이 성공하지 못한 이유는 사람의 목을 치지 않은 것과 금고의 8백만 프랑의 돈을 동지들에게 분배하는 것을 허락하지 않았기 때문입니다. 국왕은 지금 나를 죽이지 못해 안달이지만 혁명을 하기 전까지 나를 '자네'라고 불렀을 정도로 아껴 주었습니다."

쥘리앵은 그의 말을 듣다가 마틸드의 눈과 마주쳤다. 쥘리앵은 경멸의 눈초리를 보냈다. 마틸드는 약이 올랐다. 짜증만 생긴 마틸드는 화풀이라도 하는 듯 날이 샐 때까지 춤을 추었다.

돌아오는 마차 속에서 마틸드는 무도회장에서 있었던 일들을 생각했다. 그녀는 쥘리앵에게 경멸을 당했다. 그런데도 그녀는 쥘리앵을 경멸할 수가 없었다.

한편, 쥘리앵은 행복의 절정에 이르렀다.

"참 화려한 무도회였어요. 부족한 게 하나도 없는 무도회였지요."

쥘리앵이 알타미라 백작에게 말했다.

"그러나 사상이 부족하지요."

알타미라 백작이 말했다.

다음 날, 쥘리앵은 도서실에서 일을 하면서 알타미라 백작과 나눈 대화를 생각했다. 그러나 마틸드가 들어오는 바람에 생각이 계속 이어지지 못했다. 그는 마틸드를 보면서도 아는 체할 생각을 하지 못했다. 마틸드는 쥘리앵이 사형 선고를 받은 백작 생각으로 꽉 차 있다고 여겼다. 쥘리앵은 두 눈을 부릅뜬 마틸드의 모습을 보고서야 정신을 차렸다.

마틸드는 벨리의 《프랑스 역사》를 한 권 꺼내 달라고 부탁했다. 손이 닿지 않아 사다리를 가져와 건네주었다. 아직도 그녀의 존재는 쥘리앵의 염두에 들어오지 않았다. 그러다가 다른 생각에 정신이 팔려 그만 책장의 유리를 깨뜨리고 말았다. 마틸드는 물끄러미 쥘리앵을 바라보다가 나가 버렸다. 쥘리앵은 그 뒷모습을 바라보았다.

그녀는 어젯밤의 화려한 옷차림과는 전혀 다르게 검소했다. 표정도 어제와 달랐다. 오만했던 그녀가 오늘은 애원하는 듯한 눈빛을 보였다.

'저 검은 옷은 그녀의 몸매를 한층 돋보이게 해. 그런데 왜 저런 상복 같은 것을 입고 다니는 거야? ……자, 그건 그렇고, 오늘 아침에 쓴 편지를 다시 읽어 봐야지. 틀린 글자가 없는지 말야.'

정신을 집중하여 편지를 읽고 있는데 옷자락이 스치는 소리가 났다. 마틸드였다. 또 방해를 하러 들어왔다고 생각하니 쥘리앵은 화가 났다.

한편, 마틸드는 이 청년이 자기에게 전혀 관심이 없다는 것을 알았다.

"무슨 재미있는 일이라도 하시나요? 알타미라 백작이 파리로 망명하게 된 그 배반 사건이라도 생각하는 거예요? 얘기 좀 해 주세요. 아무에게도 말하지 않을 테니까."

마틸드는 자기가 아랫사람에게 애원하는 말을 하고 있다는 것을 깨닫고는 깜짝 놀랐다. 마음이 편치 않은 그녀는 다시 농담조로 말했다.

"평소에는 아주 냉정하신 분이 뭔가에 사로잡힌 모습으로 변한 것은 대체 무엇 때문일까?"

이 말은 쥘리앵의 자존심을 건드렸고 그를 흥분하게 만들었다.

"당통이 돈을 횡령한 것이 잘 한 짓입니까?"

험상궂은 표정으로 소리 지르는 쥘리앵 때문에 마틸드는 소름이 끼쳤다. 그의 험악한 눈초리를 감당할 수 없어 뒷걸음질쳤다. 그리고는 총총히 도서실을 나갔다.

왕비 마르그리트의 추모

'저 파리의 인형의 눈엔 내가 무척 우스꽝스럽게 보일 거야. 당통에 대해 이야기한 것은 실수였다. 그런데 그 여자는 왜 나한테 관심을 보이는 걸까?'

식당에 들어선 쥘리앵은 마틸드가 눈에 확 들어왔다. 혼자서 검은 옷을 입고 있었기 때문이다.

'마틸드가 상복을 입은 이유는 뭘까?'

마틸드는 묘한 눈초리로 쥘리앵을 바라보았다.

'저 눈빛이 바로 레날 부인이 말한 파리 여자들의 교태겠지. 아침에 나는 그녀에게 무뚝뚝하게 굴었어. 화가 났을 거야. 거만하고 남을 얕보는 여자니까 언젠가는 나에게 복수를 하겠지. 하건 말건 나는 상관하지 않겠어. ……레날 부인과는 너무 다른 여자야. 레날 부인은 참으로 귀엽고 순진한 여자였어. 레날 부인은 어떻게 지내고 있을까?'

사람들이 식사를 마치고 일어섰다. 모두들 정원 쪽으로 나가려고 할 때 쥘리앵은 손님으로 초대된 아카데미 회원에게 다가갔다. 그는 라틴어를 할 줄 아는 사람으로 오래 전 쥘리앵이 이 집에 처음 왔을 때 쥘리앵의 실력을 칭찬하던 사람이었다. 쥘리앵은 그 남자의 온갖 비위를 맞춰 주었다. 그리고는 슬쩍 물어 보았다.

"마틸드 양은 큰아버지의 유산이라도 받았습니까? 상복을 입고 있는 이유가 뭡니까?"

"아니 이 댁에 사시는 당신이 아직 그 아가씨에 대해 잘 모르십니까? 마틸드 양은 어머니의 허식과 낭비를 싫어해요. 우리끼리 하는 이야기지만 이 집 사람들은 개성이 없어요. 그러나 마틸드는 강직한 성격을 갖고 있어서 그 힘으로 가족들을 움직이죠. 오늘이 바로 4월 30일 이거든요."

'도대체 이 여자가 온 집안 식구들을 움직이는 것과 검은 옷을 입은 것, 그리고 4월 30일과는 무슨 상관이 있는 걸까?'

"이거 정말 놀랍군요. 정말 모르십니까? 1574년 4월 30일의 사건을!"

"사건이라뇨? 어디서 일어났습니까?"

"그레브 광장이요."

쥘리앵은 눈을 반짝였다. 듣는 사람이 이런 눈빛을 하고 있다는 것은 이야기를 하는 사람에게는 기쁨이 아닐 수 없었다. 상대방이 이 이야기를 모른다는 것을 알고 우쭐해진 아카데미 회원은 당시 제일가는 미남이던 보니파스 드 라몰과 그의 친구 피에몽테 출신의 귀족인 안니발 드 코코낫소가 그레브 광장에서 참수형을 당한 배경을 말해 주었다.

"라몰은 왕비 마르그리트의 열렬한 사랑을 받았죠. 그런데 저 라몰 양의 이름이 바로 마틸드 마르그리트라는 점을 주의해야 해요. 라몰은 아롱송 공작의 총애를 받은 신하이며 자기 애인의 남편으로 후에 앙리 4세가 된 나바르 왕의 친구이기도 했습니다. 그런데 1574년 사육제의 마지막 날, 궁정이 임종이 가까운 샤를 9세와 함께 생제르맹으로 옮겨졌습니다. 황태후(왕의 어머니)는 라몰과 친한 왕자들을 가두고 죄인 다루듯 했지요. 그래서 라몰은 왕자들을 구출하고자 기사 2백여 명을 데리고 궁정으로 갔어요. 그런데 아롱송 공작이 지레 겁을 먹는 바람에 실패하고 라몰은 사형 집행인의 손에 넘어간 것입니다. 결국 왕비는 자기가 사랑하는 라몰의 잘려진 머리를 안고 울었답니다. 마틸드 양은 그 목 잘린 머리에 충격을 받았답니다."

"정말입니까?"

"마틸드 양은 오빠를 경멸해요. 노르베르 백작은 자기 가문의 역사에는 숫제 무관심해서 4월 30일이라고 해도 상복을 입지 않지요. 이 유명한 처형 사건 뒤로 코코낫소에 대한 라몰의 깊은 우정을 기리기 위해 라몰 일가의 남자들은 모두 안니발이란 이름을 갖게 되었습니다."

"아, 그래서 마틸드 아가씨가 자기 오빠를 부를 때 안니발이라고 했군요. 저는 잘못 들은 줄 알았습니다."

"그건 일종의 비아냥이죠. 후작 부인이 오빠에게 빈정대는 딸의 행동을 봐 주는 것이 정말 이해가 되지 않습니다. 이 댁 따님의 남편이 될 사람은 속깨나 썩을 거예요."

그날 밤, 쥘리앵은 마틸드의 몸종에게서 라몰 양이 그 옷을 입은 이유를 들었다. 이 별난 행동은 당시 으뜸가는 아름다운 여인인 왕비의 애인이며 친구를 구하기 위해 목숨을 던진 보니파스 드 라몰을 흠모하는 마음을 보여 주는 것이라고 했다. 그 말을 듣자 쥘리앵은 마틸드가 기품 있고 아름답게 보였다.

어느 날 마틸드는 바람난 남편을 단도로 찔러 죽인 어느 젊은 아내의 일화를 쥘리앵에게 들려주었다. 쥘리앵은 마틸드가 자기에게 그런 이야기를 해 준 것이 기분 좋았다. 남자들의 사랑을 한 몸에 받고 있는 여자가 자기에게 우정 어린 태도를 보이며 말을 걸어 주었기 때문이다. 그러다가 쥘리앵은 곧 다시 생각했다.

'아니야. 내가 착각하고 있는 거야. 이건 우정이 아니야. 이 여자는

자기 이야기를 들어줄 사람이 필요했던 거야.'

그러나 쥘리앵은 마틸드와의 대화에 차츰 흥미를 느꼈다. 마틸드는 유식하고 사리가 밝은 여자였다.

어느 날, 마틸드는 지성과 정열이 넘치는 눈으로 쥘리앵에게 말했다.

"종교전쟁이 있었던 바로 그 때가 프랑스의 영웅시대였지요. 그 시대에는 모두가 목적을 위해 싸웠어요. 당신이 좋아하는 나폴레옹 시대처럼 비굴하게 훈장 하나를 바라고 싸우지는 않았어요. 난 종교전쟁이 있던 시대가 좋아요."

"아, 그러고 보니 보니파스 드 라몰이 바로 그 시대의 영웅이었죠."

"지금 세상에 교수형 당한 애인의 머리를 만질 수 있는 여자가 있을까요?"

이 때 라몰 부인이 마틸드를 불렀다. 정원에 혼자 남게 된 쥘리앵은 이렇게 생각했다.

'지금 이 사람들은 나와는 비교가 되지 않는 좋은 위치에 있어. 이들은 먹고 살 걱정을 하지 않아도 돼. 그에 비해서 나는 불쌍한 신세지. 나는 이들과 함께 고상한 문제를 이야기할 자격이 없어. 나는 빵을 얻기 위해, 1천 프랑을 벌기 위해서 살 뿐이야.'

다시 마틸드가 돌아와서 물었다.

"무슨 생각을 하고 있었나요?"

쥘리앵은 자기비하에도 싫증이 나 있었다. 그는 솔직하게 자기가 생각한 것을 이야기했다. 돈 많은 여자에게 자기의 가난함을 이야기하려니 얼굴이 붉어졌다. 그는 일부러 거만한 말투를 써 가며 자기는 무엇도 바라지 않는다는 것을 마틸드에게 인식시키려고 했다. 마틸드는 그런 쥘리앵이 귀여웠다. 그녀는 평소의 쥘리앵에게서는 볼 수 없던 감수성과 솔직한 표정을 읽었다.

그로부터 한 달이 못되었을 때, 쥘리앵은 생각에 잠겨 정원을 산책하고 있었다. 방금 전에 그는 발목이 삔 마틸드를 살롱 입구까지 데려다 주었다. 쥘리앵은 생각했다.

'마틸드는 일부러 내 팔에 몸을 기대 왔어. 그녀가 나를 좋아한다고 생각하는 것은 나의 오해일까? 아니면 마틸드는 정말로 나를 좋아하는 걸까? 거만한 그 여자가 말야! 살롱에 모인 사람들은 그녀가 나를 볼 때의 표정을 보면 모두 놀랄 거야. 그런 표정은 누구에게도 보이지 않으니까.'

마틸드는 기분이 나쁜 날이면 곧잘 쥘리앵에게 귀부인의 티를 내려고 했다. 그럴 때면 쥘리앵은 자기를 하인 취급하는 그녀를 거들떠보지도 않았다.

어느 날, 쥘리앵은 마틸드의 이야기를 가로막으며 말했다.

"아가씨는 아버지의 비서에게 무슨 명령이라도 있으신가요? 그렇죠. 비서는 무슨 명령이라도 복종해야 되지요. 그게 제 의무니까요. 비서는 아가씨에게 여쭐 말씀이라곤 없습니다. 비서는 아가씨에게 무언가를 묻기 위해 봉급을 받는 사람이 아니니까요."

이런 말투는 권태로운 살롱의 분위기를 벗어나게 해 주었다.

'마틸드가 나를 사랑하고 있다면 일이 참 재미있어지겠는걸. 사랑이야 있든 없든 나는 똑똑한 여자 하나를 허물없는 이야기 상대로 삼고 있는 거니까. 온 집안 사람들이 쩔쩔매는 그 아가씨를 나는 상대하고 있는 거야. 특히 그녀와 결혼하려고 안달이 난 청년도 쩔쩔매는데 말야. 아마 그 청년과의 결혼을 위해 내가 서류를 만들겠지. 펜을 잡고 있을 때 나는 그저 비서에 불과하지만 나는 언제나 그 청년을 이기고 있어. 마틸드에게 마음을 빼앗긴 이 청년은 그녀에게 꼼짝 못하지만 나는 그녀의 이야기 상대가 되는 남자니까. 그러나 어쩌면 미래의 남편이라는 이유로 괜스레 그 남자에게 얄밉게 구는지도 몰라. 자존심이 센 여자니까. 그리고 나에게 잘해 주는 것도 내가 결국은 아랫사람이기 때문은 아닐까. 아니, 반드시 그런 것만은 아닐 거야. 마틸드는 나에게 마음을 두고 있어. 내가 냉담하게 굴면 더욱 나에게 접근해 오잖아. 그리고 내가 나타나면 그녀의 눈은 반짝거리지. ……. 아무튼 마틸드는 아름다운 여자야. 그 여자를 내 여자로 만들고 말 테야. 그리고 그녀와 도망을 가는 거야. 도망치는 것을 방해하는 놈은 가만두지 않겠어.'

쥘리앵은 이런 공상에 빠져들었다가 '그런데 마틸드는 정말 나를 사랑하는 걸까?' 하고 생각하며 시간을 보냈다.

마틸드의 마음

마틸드는 살롱에서의 분위기를 압도하는 매력이 있었다. 누구든지 그녀의 비위를 건드리면 당장 보복을 당한다. 그녀의 야유는 겸손하고 적절하고 우아해 보이지만, 바로 정곡을 찔러 생각하면 생각할수록 화가 나고 마음의 상처를 깊게 해 주었다. 마틸드는 살롱의 분위기가 따분했다. 그녀가 신랄한 야유를 하는 이유는 기분 전환을 위한 것이었다. 그녀가 크르와즈느와 후작이나 케일뤼스 백작이나 그 외 상류 사회 귀공자들에게 말을 거는 것은 그저 독설의 상대자로 선택하는 것이었다. 마틸드는 이 귀공자들에게 편지를 받았고 때로 답장을 보내기도 했다. 그녀는 이 청년들을 노리갯감으로 생각했다. 그녀는 이들이 보낸 편지가 모두 비슷하다고 생각했다.

"이렇게 무미건조한 편지가 어디 있겠어요?"

마틸드는 자기 사촌 언니에게 남자들이 보낸 편지가 형편없다고 비난했다.

생제르맹에서 가장 인기가 좋은 부유한 아가씨와 산책하는 것에 쥘리앵은 즐거움을 느꼈다. 마틸드는 쥘리앵의 강한 자존심에 놀랐다. 그리고 그의 지혜에 감탄했다. 마틸드는 쥘리앵이 자기에게 반발하는 태도에 매력을 느꼈다.

'아아, 나는 사랑을 하고 있어. 사랑을 하고 있는 거라고. 틀림없이 이게 사랑일 거야.'

마틸드는 《마농 레스코》나 《신 엘로이즈》, 《포르투갈 수녀의 편지》 등에서 읽었던 사랑의 묘사를 되새겨 보았다. 책 속에서의 연애는 어떤 장애도 두려워하지 않고 오히려 장애 때문에 그 사랑이 강해졌다.

'크르와즈느와는 아무것도 부족한 게 없어. 그래서 그는 이류에 불과해. 앞으로 내가 할 사랑은 기적이 따르는 사랑일 거야. 하늘은 나에게 그런 불타오르는 사랑을 주실 거야. 평범한 생활은 싫어. 신분이 낮은 남자를 사랑하는 것은 대담한 일이야. 그런데 저 사람은 영원히 나에게 어울리는 사람이 되어 줄까? 뼈대 있는 가문에서 태어났고 귀족적인 성격을 가졌다는 칭찬을 받는 내가 사랑에 눈이 멀어 어리석은 짓을 하는 것은 아닐까? 아니야. 내가 크르와즈느와 후작을 사랑한다면 그거야말로 어리석은 여자가 되는 짓이야. 나는 사촌 언니들이 누리는 것 같은 밋밋한 생활은 싫어. 그런 시시한 행복은 싫어.'

'쥘리앵과 나 사이에 결혼 계약서는 필요 없어. 그가 귀족이 아니라는 것만 제외하면 마르그리트가 당대 으뜸가는 인물로 꼽던 귀공자 보니파스 드 라몰을 사랑한 것과 마찬가지야. 궁궐의 귀공자들은 색다른 모험을 무서워하지. 기껏해야 그리스와 아프리카로 잠시 여행을 가는 게 전부지. 거기다 혼자서는 움직이지 못하고 떼를 지어 행진을 하곤 해. 그러나 쥘리앵은 달라. 그는 혼자서 무엇이든 하지. 그 사람은 남에게 의지하거나 도움을 받으려고 하지 않아. 그는 자기 이외에 모든 사람을 경멸해. 그 점이 바로 내가 쥘리앵을 좋아하는 이유야. 아무리 가난하더라도 쥘리앵이 귀족이었다면 나의 사랑은 위대하지 않았을 거야. 그런 사랑은 어려움이 없어. 격정도 없지.'

마틸드는 이런 생각에 몰두하고 있는 탓에 자기도 모르게 크르와즈느와 후작과 오빠 앞에서 자주 쥘리앵을 칭찬했다. 도가 너무 지나쳐서 듣는 사람의 기분을 상하게 할 정도였다.

"그런 젊은이는 조심하는 게 좋아. 다시 혁명이 일어나는 날엔 우리 모두 단두대에 끌고 가고도 남을 사람이야."

오빠 노르베르 백작이 말했다.

오빠의 말에 불쾌해진 마틸드는 두 사람 곁을 떠났다. 그러나 다음 날, 어제 백작이 한 말이 쥘리앵에게는 더할 나위 없는 찬사가 된다는 것을 깨달았다.

'오빠는 쥘리앵을 두려워하고 있어. 어쩌면 그 사람은 당통 같은 인물이 될지도 몰라. 어쩌면 혁명이 다시 일어날지도 모르지. 그렇게 되면 오빠와 크르와즈느와는 어떤 역할을 할까? 그들은 목숨에 대한 걱정을 하며 벌벌 떨겠지. 그러나 쥘리앵은 다를 거야.'

그러다가 케일뤼스, 크르와즈느와, 오빠가 쥘리앵에 대해 그의 겸손은 위선적이고 성직자로 가장하는 티를 낸다고 비난했던 것이 생각났다. 하지만 마틸드는 그녀가 그 해에 만난 사람들 중에서 쥘리앵이 가장 멋진 사람으로 생각되었다.

케일뤼스 백작은 결코 웃는 법이 없어서 친구들 사이에서 두려움과 함께 존경을 받았다. 그는 살롱에서 가장 눈에 띄는 남자였다.

어느 날, 그와 함께 모이는 사람들이 쥘리앵에게 열을 올리는 마틸드를 공격했다. 그러자 케일뤼스가 빈정대며 말했다.

"수입이라곤 10루이도 안 되고 그저 묻는 말에 대답만 할 줄 아는 한 사람의 천재와 대결할 셈이군. 모두 쥘리앵이 겁나는 모양이지?"

그러자 마틸드가 케일뤼스를 공격했다.

"내일이라도 프랑시콩테 산간 지방의 어떤 부자가 나타나 쥘리앵이 자기의 서자라면서 그에게 수천 프랑의 재산을 물려준다면 어떻게 될까요? 그렇게 되면 그의 좋은 성격도 당신들에게 웃음거리가 되지는 않겠죠. 만약 쥘리앵이 나폴레옹 시대에 포로가 되어 브장송에 유폐된 에스파냐의 어느 공작의 사생아라면 어떻게 할까요?"

상식을 벗어난 상상에 케일뤼스와 크르와즈느와는 몹시 불쾌했다. 노르베르는 동생의 말이 너무 노골적이어서 불쾌한 얼굴을 했다. 그리고 동생에게 주의를 주었다. 그러자 마틸드는 오빠에게 화를 냈다.

"어디 아픈 거 아니에요, 오빠? 농담을 했는데 훈계를 하시다니, 어디가 불편하신가 봐요!"

마틸드는 이 세 남자의 성난 얼굴도 절망적인 침묵도 모두 무시했다. 그리고 쥘리앵을 생각했다. 그녀는 자기가 쥘리앵을 사랑한 뒤로부터 생활이 따분하지 않다는 것을 깨닫게 되었다.

쥘리앵이 마틸드의 은근한 눈빛을 미심쩍게 생각한 것은 노르베르 백작의 태도가 냉담해진 것과 케일뤼스와 크르와즈느와가 자기에게 한층 더 건방져진 것을 통해서였다. 하지만 그는 귀족들의 건방진 태도에 익숙해 있었다. 그들의 거만과 냉담은 살롱에서 쥘리앵이 신분에 걸맞지 않게 이야기를 멋지게 한 날 더욱 뚜렷하게 나타났다.

쥘리앵은 생각했다.

'그래, 이제는 의심할 여지가 없어. 마틸드가 나를 사랑하고 있는 것이 분명해. 그런데 그녀의 아름다운 푸른 눈은 아무리 긴장을 풀고 있어도 쌀쌀맞고 심술맞아 보여. 그것도 사랑의 눈빛일까? 레날 부인과는 너무나 대조적이야.'

사랑의 고백

다음 날, 쥘리앵은 노르베르와 마틸드가 자기 이야기를 하는 것을 우연히 듣게 되었다. 그가 나타나자 두 사람은 곧 조용해졌다.

'이 두 사람이 나를 우롱할 음모를 꾸미고 있는 것일까? 마틸드가 비서에 지나지 않는 나에게 열을 올리는 것보다야 나를 우롱하는 게 더 재미있을 거야. 남을 우롱하는 게 이들의 장기니까. 이들은 서민답지 않은 나의 말솜씨가 마음에 들지 않았던 거야. 내 말솜씨를 질투하는 거야.'

쥘리앵은 이렇게 의심했다. 이런 극단적인 생각이 쥘리앵의 심경을 변화시켰다. 하지만 이런 의심은 쥘리앵의 마음속에 이미 마틸드에 대한 사랑이 싹트고 있다는 것을 증명하는 것이었다. 그러나 그와 동시에 사랑의 싹을 꺾어 버리는 것이기도 했다.

쥘리앵은 파리에 온 뒤로 상당한 수련을 쌓았기 때문에 이제 권태로운 것들은 문제가 되지 않았다. 그러나 귀족들의 우롱에 걸려들면 다치는 사람은 자기뿐이라고 생각했다. 그리고는 여행을 떠날 생각을 했다. 다행히 후작은 랑그도크 지방에 있는 영지와 가옥의 관리를 쥘리앵에게 위임했다. 쥘리앵은 영지 문제로 그 곳에 다녀오겠다고 했다. 후작은 마지못해 허락을 해 주었다.

그는 여행을 가는 것을 마틸드에게 말하지 않았다. 그러나 마틸드는 쥘리앵이 여행을 떠나는 것을 알고 있었다.

그녀는 살롱의 숨막히는 공기 때문에 머리가 아프다며 나와서는 오랫동안 정원을 산책했다. 그리고는 노르베르와 크르와즈느와 후작, 케일뤼스, 뤼스 등 청년들에게 야유를 퍼부어 쫓아 버렸다. 그녀는 묘한 눈초리로 쥘리앵을 바라보았다. 쥘리앵은 '저 눈초리는 연극일 거야. 그런데 무슨 일 때문에 저렇게 침착성을 잃은 걸까?'라고 생각했다. 마틸드와 쥘리앵만 남아 있을 때 둘 사이에는 침묵이 흘렀다.

'쥘리앵은 나에게 관심이 없는 걸까?'

쥘리앵이 그냥 지나가려고 하자 마틸드는 그의 팔을 잡으며 말했다.

"오늘 밤 편지를 드릴게요. 아버지는 모든 일을 당신에게 맡기고 계세요. 그러니 파리를 떠나시면 안 돼요."

쥘리앵은 마틸드의 말에 감동을 받았다. 그러다가 '안 돼요.'라는 말이 마치 명령 같아서 기분이 상했다.

얼마 후 하인이 쥘리앵에게 편지를 갖다 주었다. 편지 내용은 사랑의 고백이었다.

'가난한 시골뜨기인 내가 이런 편지를 받다니. 그것도 귀족 여자에게서 먼저 사랑의 고백을 받았다고.'

상당히 깨끗한 필체였다.

'갑자기 여행을 떠나신다니……. 당신의 얼굴을 보지 못하는 것은 나에게는 감당하기 어려운 고통입니다.'

여기까지 읽고 쥘리앵은,

'크르와즈느와를 내가 이긴 거야. 그는 미남에다 콧수염도 기르고 멋진 군복을 입었어. 그리고 재치 있는 말재주가 있는 사람인데 말야.'하고 생각하며 더없이 행복해졌다.

그는 너무 행복해서 정원을 왔다갔다했다. 잠시 후 쥘리앵은 서재로 후작을 만나러 갔다. 후작은 마침 서재에 있었다. 그는 후작에게 노르망디에서 온 편지를 서너 통 보이면서 노르망디 소송 사건 때문에 랑그도크로 떠나는 것을 연기해야겠다고 말했다. 그 말에 후작은 기뻐했다.

'나를 무척 좋아하는 분인데……. 그런데 나는 이 분의 딸을 유혹하려고 하고 있다. 크르와즈느와 후작과의 혼담이 깨질 테지. 후작은 그 결혼을 기대하고 있는데……. 나도 참 어리석지. 일개 평민인 주제에 지체 높은 사람을 동정하다니. 나는 하느님 덕분으로 최하층 신분으로 태어났어. 빵 문제도 제대로 해결이 안 되는 내가 덩굴째 굴러온 호박을 거절할 수야 없지. 허덕이며 건너고 있는 사막 같은 세상에서 모처럼 갈증을 풀 수 있는 샘물을 만났는데, 그것을 피하려고 하다니. 그런 어리석은 짓은 할 수 없어. 크르와즈느와의 화난 모습이 보고 싶군. 마틸드에게 편지를 받은 이상 나는 그와 대등한 입장이 된 거야. 마틸드는 나와 후작을 비교해 보다가 나를 선택한 거야. 내가 이긴 거야.'

쥘리앵은 편지를 어떻게 쓸까 고민했다.

'아가씨, 내가 내 신분을 잊은 것으로 아신다면 오해입니다. 당신은 하찮은 목재상의 아들 때문에 크르와즈느와 후작을 배반하시렵니까?'

편지 내용을 생각하다가 쥘리앵은 조심해야 한다는 생각이 들었다.

'혹시 내 답장을 누가 볼지도 몰라. 그걸 대비해야 해. 또 크르와즈느와의 하인들이 나한테 달려들어 마틸드가 보낸 편지를 뺏어갈지도 몰라. …… 에이, 설마 그런 일이야 없겠지. 그래! 이 편지를 밀봉해서 푸케에게 보내야지. 그 녀석은 내 친구니까 문제가 생기지 않을 거야.'

그는 책방에 가서 큼직한 성경책 한 권을 사서 그 표지 속에 마틸드의 편지를 숨기고 포장을 했다. 그리고 그것을 푸케에게 소포로 보냈다. 집으로 돌아온 쥘리앵은 마틸드에게 편지를 썼다.

'이게 어찌 된 일입니까? 라몰 가의 귀족이 가난한 목재상의 아들에게 사랑의 편지를 보내시다니. 저를 희롱하려는 것은 아니시겠지요?'

쥘리앵은 행복과 자신감에 싸였다. 마치 하늘이라도 나는 듯한 기분이었다.

마틸드의 고민

마틸드가 고민 없이 편지를 쓴 것은 아니었다. 사실 쥘리앵에게 편지를 쓴다는 것은 그녀의 자존심을 상하게 하는 짓이었다. 하지만 마틸드는 쥘리앵의 사랑의 포로가 되어 버렸다. 마틸드는 자기가 행복을 찾았다고 생각했다.

하지만 마틸드가 그녀의 사랑을 유지하려면 귀족의 딸로서 위엄을 지키려는 자존심과 늘 싸워야 했다.

'쥘리앵도 어쩌면 겉으로만 비범한 사람이 아닐까?'

그녀는 개성이 없는 사람을 싫어했다. 그녀가 알고 있는 귀족 청년들은 모두 시시하고 용기가 없었다.

유감스럽게도 훌륭한 가문과 강한 개성을 갖춘 인물은 앙리 3세 시대의 궁정에나 있었다. 그 시대는 용감하고 씩씩한 시대였다. 마틸드는 지금은 형편없이 지루하고 재미없는 시대라고 생각했다. 마틸드는 얼마 전까지도 판에 박힌 듯한 귀족의 타입에서 벗어난 청년을 만날 수 없을까 하고 생각했었다. 그래서 사교계의 몇몇 청년들에게 편지를 쓰는 것으로 위안을 삼고 있었다. 그러나 그것은 그저 예의상 보내는 답장에 지나지 않았다.

그런데 쥘리앵에게는 마틸드가 먼저 사랑의 편지를 보낸 것이다. 그것도 비천한 신분의 사내에게. 이 사실이 알려지면 마틸드는 살롱에서 웃음거리가 될 것이고 모욕을 받을 것이다. 그러나 그것은 문제가 아니었다.

마틸드의 고민은 다른 데에 있었다. 쥘리앵의 성격은 연애를 하기에는 두려움을 주었다. 그런데 마틸드는 그런 남자를 애인으로, 아니 운명을 같이 할 남편으로 삼으려고 하는 것이다.

쥘리앵은 귀족의 혈통에 대해서는 전혀 관심이 없는 것 같았다. 그리고 마틸드가 보기에 자기에게 관심이 없는 것 같기도 했다. 바로 그런 때에 쥘리앵이 파리를 떠난다고 했던 것이었다. 그래서 편지를 쓴 것이다.

그날 밤, 쥘리앵은 장난기가 발동해 무거운 여행 가방을 마틸드의 하녀를 시켜 문지기 방으로 옮겨 놓게 했다. 일부러 마틸드의 마음을 떠보기 위해서였다. 쥘리앵이 파리를 떠난다는 것 때문에 마틸드는 한숨도 자지 못했다.

다음 날 아침 쥘리앵이 서재에 들어서자마자 마틸드가 나타났다. 그녀는 쥘리앵이 답장을 건네주자 곧바로 나갔다.

'이 모든 것이 노르베르 백작과 짜고 한 것이 아니라면, 마틸드가 나를 좋아하는 것이 분명해. 하지만 나도 덩달아 그녀를 좋아한다면 그건 나답지 않은 짓이야. 얼빠진 짓이라고.'

쥘리앵은 이렇게 생각하며 더욱 냉정해지고 계산적이 되었다.

'아, 그냥 파리를 떠날 걸 그랬어. 이 모든 것이 장난이었다면 내 꼴은 우스워지는 거야. 마틸드가 나를 진심으로 좋아한다면 여행을 떠나는 것으로 그 좋아하는 감정을 더 크게 만들어 줄 수도 있었을 텐데……'

쥘리앵은 혹시 자기가 실수한 것은 아닐까 하며 마음을 졸였다. 한 시간 정도 지나자 마틸드 양이 서재에 와서 쥘리앵에게 편지를 또 던져

놓고 그대로 뛰어나갔다.

　내용은 마틸드의 사랑에 대한 대답을 요구하는 것이었다. 쥘리앵은 내일 아침 여행을 떠난다고 답장을 썼다. 그것은 마틸드 양을 놀려 주려는 배짱에서였다. 쥘리앵은 편지를 주려고 정원으로 나갔다. 그리고 거기서 마틸드의 방을 쳐다보았다. 그런데 그 방에서는 창 밖을 내다보아도 쥘리앵이 서성거리는 것이 보이지 않는 위치였다. 커다란 보리수 나무가 있었기 때문이다. 그것도 모르고 쥘리앵은 또 자기가 실수를 했다며 중얼거렸다.

　'혹시 3층에서 편지를 써놓고 기다리는 나를 보며 낄낄거리고 비웃고 있는 것은 아닐까?'

　다행히도 마틸드는 쥘리앵이 편지를 들고 서 있는 것을 보았다. 쥘리앵이 편지를 든 손을 들어 보이자 마틸드는 고개를 끄덕였다. 쥘리앵은 자기 방으로 뛰어 들어가려다가 계단에서 마틸드와 마주쳤다. 그녀는 자연스럽게 편지를 받으며 미소를 지었다.

오후 다섯 시 정도에 쥘리앵은 세 번째 편지를 받았다. 이번에도 마틸드는 편지를 서재 문 밖에 던져 놓고 도망쳤다.

쥘리앵은 선뜻 뜯어 보려고 하지 않았다.

'아마 그럴듯한 미사여구를 잔뜩 늘어놓았을 거야.'

그러나 편지를 뜯고는 예상과 다른 몇 줄의 글을 읽게 되었다.

'오늘 밤 1시에 정원으로 나와요. 그리고 우물 뒤에 있는 정원사의 큰 사다리를 통해 제 방으로 올라오세요.'

갈 등

'문제가 심각해지겠어. 거기다 지나칠 정도로 노골적이야. 그냥 서재 에서 이야기할 수 있는데, 왜 이런 어처구니없는 짓을 하는 걸까? 틀림없이 나를 조롱하려는 거야. 내 편지에는 빈틈이 없었어. 그래서 이번에는 직접 나오게 하려는 거야. 건방진 귀족 도련님들이 나를 얼간이나 자기도취에 빠진 사람으로 아는 모양이야. 어림없어. 나보고 사다리를 걸치고 8미터가 되는 창문으로 올라오라고? 내가 올라가는 모습을 보고 얼마나 비웃을까?'

쥘리앵은 자기 방에서 짐을 꾸리기 시작했다. 마틸드의 편지에 답장도 하지 않고 여행을 떠날 생각이었다. 그러나 어쩐 일인지 마음이 가라앉지 않았다.

'저들이 나를 우롱하려는 게 아니라 마틸드의 진심이라면 어떡하지?'

쥘리앵은 한참 동안 이 문제를 생각했다.

'아무리 생각해도 소용없어. 레츠 공작의 무도회에서 모두들 입을 모아 마틸드에게 찬사를 보냈듯이 그녀는 상류 사회에서도 제일가는 여자야. 만약 내가 여기서 물러난다면 여자를 잃는 것에서 그치는 게 아니야. 크르와즈느와를 물리치는 승리의 쾌감도 함께 잃는 것이지. 이 기회를 놓치면 나는 평생 후회할 거야. 그런데 내가 사다리를 타고 올라가다가 라몰 후작의 하인에게 들켜서 총이라도 맞게 되면 어떻게 되는 거지? 아아, 어떻게 해야 할까? 모든 것이 나를 골탕먹이려는 속셈에서 나온 것이라면? 내가 사다리를 타고 올라갔을 때 귀족 도련님들이 내 팔을 잡는다면? 좋아! 놈들을 응수하는 데는 이것이 있어.'

쥘리앵은 권총을 꺼냈다. 아직 시간이 많이 남아 있어서 쥘리앵은 푸케에게 편지를 썼다.

　　동봉하는 편지는 만일의 사태가 일어날 때까지, 내 신변에 문제가 생길 때까지 뜯지 말게. 그리고 그 편지를 뜯게 되면 편지 속의 지방 이름이나 사람 이름은 지워 버리고 사본을 8통 만들어서 마르세유, 보르도, 리옹, 브뤼셀 등의 신문사로 보내 주게. 그 후 다음 편지의 사본을 인쇄해서 그중 한 통을 라몰 후작 앞으로 보내고 다시 2주 후에 나머지 인쇄물을 베리에르 거리에 배포해 주게.

　편지를 다 썼을 때 저녁식사를 알리는 종이 울렸다. 그 소리에 쥘리앵은 가슴이 두근거렸다. 비극적인 생각이 떠올랐다. 하인들에게 밧줄로 결박당해 지하실로 끌려가는 자기의 모습이 그려졌다. 전혀 흔적이 남지 않는 독약을 먹고 살해당할 수도 있다고 생각했다. 쥘리앵은 그 생각 때문에 식당으로 가면서 공포를 느꼈다. 슬쩍슬쩍 하인들의 모습을 살펴보았다.

'오늘 밤 나를 끌고 갈 녀석은 누구일까?'

쥘리앵은 마틸드의 눈빛을 살피며 그들의 계획을 알아 내려고 했다. 식사를 마치고 쥘리앵은 오랫동안 정원을 산책했다. 마틸드를 만나는 것이 두려웠다. 그러면서도 사다리가 어디에 있는지 살펴보고, 그 무게가 얼마나 되는지 들어 보았다.

'나는 사다리를 쓰는 운명이군. 레날 부인에게도 그렇고 마틸드에게도 그렇고. 그러나 상황은 너무 대조적이야. 그 때는 여자의 마음을 전혀 의심하지 않았었지. 하지만 지금은 실패하면 나는 비난을 받을 테지. 내가 죽으면 사람들은 살롱에 모여 몇 년 동안 내 이야기를 하며 떠들어 댈 거야.'

새벽 한 시

하늘은 너무 맑게 갠 밤이었다. 달도 떠 있었다. 한 시를 알리는 종소리가 들렸다. 노르베르 백작의 방에는 아직도 불이 켜져 있었다. 쥘리앵은 너무 가슴이 떨렸다. 이렇게 떤 적은 없었다. 쥘리앵은 드디어 사다리를 마틸드 방 창문에 세웠다. 한 손에 권총을 쥐고 올라가면서 누군가 자기를 습격하지 않는 것을 이상하게 생각했다. 창가에 접근하자 창문이 스르르 열렸다.

"아, 오셨군요."

쥘리앵은 당황했지만 그 와중에도 과감하게 행동해야 한다고 생각하고 마틸드에게 키스하려고 했다.

"왜 이러세요!"

마틸드는 쥘리앵을 떠밀었다. 쥘리앵은 거절당한 것을 오히려 다행으로 여겼다.

'혹시 이 방에 누군가 숨어 있을지도 몰라.'

"사다리를 치워야 해요."

"너무 커서 아래쪽 살롱이나 중간층의 유리를 깨뜨릴지도 몰라요."

"맨 꼭대기의 가로대에 밧줄을 잡아 매어 내리면 되지 않을까요? 이 방엔 밧줄이 있어요."

쥘리앵은 사다리를 밧줄로 매어 천천히 아래로 내려 보냈다. 사방은 쥐죽은 듯이 고요했다.

"밧줄을 던져요. 밧줄이 정원에서 발코니까지 닿은 것을 보면 누가 뭐라고 할 때 할 말이 없어요."

"그럼 난 어떻게 나가죠?"

"저쪽 방문으로 나가시면 돼요."

쥘리앵이 밧줄을 내던졌을 때 마틸드는 그의 팔을 꼭 잡았다. 두 사람은 숨을 죽인 채 가만히 있었다. 그러자 어색해졌다. 쥘리앵은 문의 열쇠가 잘 걸려 있는지 보았다. 그리고 침대 밑에 하인이 숨어 있을지도 모른다고 생각하고 침대 밑을 들여다보았다.

"왜 그렇게까지 조심하는 거죠?"

쥘리앵은 이번 일이 자기를 골탕먹이려고 일부러 꾸민 짓일지도 모른다는 생각을 했다고 이야기했다.

"그래서 그렇게 냉정한 내용의 편지를 쓰셨군요."

쥘리앵은 그제서야 모든 의심을 벗었다. 그리고 아름답고 품위 있는 마틸드를 두 팔로 힘껏 안았다. 마틸드는 가볍게 떠미는 척을 했을 뿐 별다른 저항을 하지 않았다.

"솔직히 나는 당신의 용기를 시험해 보고 싶었어요. 생각보다 훨씬 대담하시군요."

쥘리앵은 좀처럼 칭찬을 하지 않는 이 오만한 아가씨의 찬사를 받고 있다는 생각에 기분이 좋아졌다.

확실히 이것은 레날 부인에게서 맛보았던 그 넋을 잃는 기쁨은 아니었다. 두 사람은 앞으로 어떻게 만날지를 의논했다. 눈치 빠른 사람들의 눈을 속이고 만나는 방법을 찾았다. 서재에서 만나는 방법이 가장 좋을 것 같았다.

"나는 라몰 후작님 댁 어디를 가도 의심 받지 않습니다."

쥘리앵의 의기양양한 모습에 마틸드는 약간 얄미운 생각이 들었다.

'벌써 내 주인이나 되는 것처럼 구는군.'

그러면서 마틸드는 며칠 동안 쥘리앵에 대해 결심한 것들을 이야기했다. 만약 쥘리앵이 사다리를 타고 온다면 그녀는 그에게 몸을 내맡기려고 생각하고 있었다고 말이다. 그러나 두 사람은 약간 작위적인 데가 있었다. 불타는 사랑도 진짜 감정이라기보다는 책에서 읽은 사랑을 모방하는 것이었다. 마틸드는 자기 행동에 대해서,

'가난한 청년은 용감했어. 그러니 내가 행복하게 해 줘야 해. 그러지
 않는다면 나는 비겁한 여자가 되는 거야.'
라고 생각했다.

쥘리앵은 이 밤이 행복하다기보다는 기묘하다는 느낌이 들었다. 레날 부인과의 마지막 만남과는 기분이 달랐다.

갑자기 마틸드의 옆방인 라몰 부인 방에서 소리가 났다. 그 바람에 쥘리앵은 장롱 속으로 들어갔다. 마틸드는 어머니와 함께 미사를 드리러 갔다. 쥘리앵은 하녀들이 방을 치우러 왔다가 나간 사이 마틸드의 방에서 빠져 나왔다.

그는 말을 타고 숲 속으로 갔다. 그는 행복에 젖었다. 그것은 전투에서 대단한 공을 세우고 총사령관에게 중령으로 임명 받은 기분과 같은 것이었다.

그러나 미사를 드리러 간 마틸드는 스스로에게 반문했다.

'내가 정말 쥘리앵을 사랑하는 것일까?'

사랑 싸움

마틸드는 저녁식사 시간에 모습을 보이지 않았다. 저녁에 잠깐 살롱에 나타났지만 쥘리앵을 쳐다보지도 않았다. 쥘리앵은 마틸드의 그런 태도가 이상했다. 지난 밤, 행복에 도취되었던 얼굴과는 전혀 다른 얼굴이었다. 다음 날도 마찬가지였다. 쥘리앵은 불안해졌다.

'아마 여자로서의 정숙을 생각했는지 몰라. 자기가 저지른 잘못을 후회하고 있는지도 몰라……. 혹시 나를 경멸하고 있는 걸까? 내 신분이 비천하다고 해서 나와의 일을 후회하는 걸까?'

쥘리앵이 이런 생각을 하면서 마틸드를 다시 행복하게 해 주었으면 좋겠다는 생각에 잠겼다. 이와는 반대로 마틸드는 쥘리앵에게 분개하고 있었다.

'나는 상전을 모시게 되었어. 쥘리앵은 명예심이 강해. 그건 좋지만, 만약 내가 그의 자존심을 건드리면 그 보복으로 우리가 어떤 사이라는 것을 사람들에게 알릴지도 몰라. 쥘리앵은 이제 나를 완전히 지배하게 되었어.'

사흘째 되는 날도 쥘리앵은 마틸드가 자기에게 알은체를 하지 않자, 저녁식사를 마치고 마틸드를 따라 당구장으로 갔다.

"당신은 나를 지배할 권리라도 있다고 생각하세요? 내가 말하기 싫어하는 것을 알면서도 왜 자꾸 말을 걸려고 하시나요?"

마틸드의 그 말은 절교를 선언하는 말이나 다름없었다.

"나는 언제까지나 비밀을 지킬 거예요. 그러나 나와 이야기하는 것이 당신의 체면을 상하게 한다면 앞으로는 말을 걸지 않겠습니다.”

쥘리앵은 정중히 허리를 굽히고 나왔다. 이런 태도는 쥘리앵에게 어렵지 않은 일이었다. 그는 돈을 받고 일하는 비서가 아니었던가.

다음 날, 쥘리앵은 랑그도크로 떠나기로 결심하고 짐을 꾸리고 역마차 정류장으로 나갔다. 그는 마차 좌석을 하나 예약하고 후작에게 여행을 가겠다고 말하려고 다시 집으로 돌아왔다. 후작은 외출 중이었다. 쥘리앵은 서재로 가서 맥 빠진 표정으로 후작을 기다렸다.

그 때 마틸드가 들어왔다. 마틸드는 쥘리앵의 모습을 보자 심술궂은 태도를 보였다. 쥘리앵은 자기도 모르게 몹시 상냥한 목소리로 물었다.

“이제 나를 사랑하지 않나요?”

“나는 아무에게나 내 몸을 허락한 게 분해요.”

마틸드는 자신에 대한 분노로 눈물을 흘렸다.

“아무에게나?”

쥘리앵은 그 말에 갑자기 분노가 폭발하면서 골동품으로 보관하는 중세의 낡은 검 쪽으로 달려갔다. 쥘리앵이 칼집에서 잘 빠지지 않는 칼을 뽑아든 순간, 마틸드는 처음 맛보는 색다른 감동을 느끼면서 쥘리앵에게 다가갔다.

쥘리앵은 갑자기 자기의 은인인 라몰 후작의 얼굴이 떠올랐다.

'은인의 딸을 죽이려 하다니! 그럴 수는 없어.'

그는 칼을 집어던지려고 했다. 그리고 생각했다.

'마틸드는 내 모습을 보고 웃을 거야.'

쥘리앵은 겨우 침착을 되찾았다. 마틸드는 어이없다는 표정으로 쥘리앵을 바라보았다.

'나는 방금 애인에게 찔려 죽을 뻔했어.'

그 생각은 그녀를 샤를 9세 또는 앙리 3세 치하의 화려한 시대로 이

끌었다.

'나는 이 청년 앞에서 다시 마음이 약해지는구나. 하지만 다시 화해하면 이번에야말로 이 남자는 나의 상전이 되려고 들 거야.'

그녀는 총총히 서재를 나갔다.

혼자 남겨진 쥘리앵은 비탄에 잠겼다.

'아, 정말 아름다운 여자야. 저 여자가 내 품에 뛰어든 지 일주일밖에 안 됐어. 그런데 그런 순간은 다시 오지 않겠지. 모두 내 잘못이야. 저 여자는 적극적인 모습을 보여 주었는데, 나는 그것을 알아차리지 못했으니.'

잠시 후 후작이 들어왔다. 쥘리앵은 여행을 떠나겠다고 말했다.

"어디로 갈 건가?"

"랑그도크에 다녀오겠습니다."

"그건 곤란하네. 자네에게 중요한 일을 맡길 참이었네. 안됐지만 두세 시간 이상 집을 비우지 말게. 언제 자네에게 일이 생길지 모르니까."

변 덕

마틸드는 지난 날 쥘리앵과 나누었던 대화가 그리워지기 시작했다. 그녀는 외롭고 슬퍼졌다. 마틸드는 무심결에 연필을 들고 사람의 얼굴을 그렸다. 무심코 그린 얼굴을 보고 마틸드는 놀랐다. 그것은 쥘리앵의 모습이었다.

'이건 하느님의 뜻이야. 사랑의 기적이야.'

후작 부인이 오페라를 보러 가자고 하자 마틸드는 그림을 내려놓았다. 그리고 쥘리앵을 데리고 가자고 어머니께 부탁을 하려고 했으나 그가 보이지 않았다. 오페라를 보면서 마틸드는 줄곧 쥘리앵을 생각했다. 그러다가 오페라에서 여자 주인공이 부르는 노래에 가슴이 뭉클해졌다.

'그이를 이처럼 사랑하는 나는 벌을 받아야 하나. 나는 그 사람을 지나치게 사랑하고 있으니.'

집으로 돌아온 마틸드는 피아노 앞에 앉아 그 노래만 몇 번을 불렀다. 다음 날, 그녀는 자기의 열정을 극복할 수 있다고 생각하며 쥘리앵을 불쾌하게 해 주리라 생각했다. 쥘리앵은 마틸드의 복잡한 마음의 희생양이 되었다. 쥘리앵이 이 때만큼 불행한 적은 없었다. 그러나 쥘리앵은 신중하게 행동했다.

쥘리앵은 마틸드가 정원을 산책하는 것을 보았다. 그녀가 정원에서 사라지자 쥘리앵은 그제서야 정원으로 갔다.

'난 변변치 못한 인간이야.'

쥘리앵은 자기의 모든 것이 싫어졌다. 그는 몇 번이나 자살을 생각했다. 자살은 매력적이었다.

'내가 죽으면 저 여자는 나를 더욱 경멸하겠지!'

자살은 수렁에 빠진 사람이 그 곳에서 헤어나는 가장 좋은 방법이었지만 쥘리앵은 과감하게 밀어붙일 여력이 없었다. 그 때 마틸드가 자기 방의 불을 끄는 것이 보였다. 그는 단 한 번 들어가 본 그 방을 생각했다. 그 때 새벽 한 시를 알리는 종소리가 났다. 쥘리앵은 사다리를 타고 그녀의 방으로 들어가야겠다고 생각했다.

'마틸드는 펄펄 뛰며 나를 모욕할 테지. 하지만 그래도 좋아. 그 여자에게 키스를 해 줄 거야, 최후의 키스를. 그리고 내 방으로 와서 자살해야지.'

쥘리앵은 마틸드의 방에 뛰어들었다.

"쥘리앵!"

마틸드는 쥘리앵의 품에 몸을 던지며 외쳤다. 쥘리앵은 흐뭇한 행복감에 사로잡혔다. 마틸드도 마찬가지였다. 두 사람은 서로가 잘못했다고 사과했다.

"당신은 나의 주인이에요. 언제까지나 나를 지배해 주세요. 당신에게 반항하려고 들거든 야단을 쳐 주세요."

마틸드는 자기 한쪽 머리털을 잘라 주려고 하면서 말을 이었다.

"당신의 노예라는 것을 잊지 않으려고 그러는 거예요. 혹시 내가 다시 오만해지면 이 머리카락을 보여 주세요."

쥘리앵은 그것을 간신히 말렸다. 시간이 얼마나 흘렀을까 해가 떠오르고 있었다.

쥘리앵은 마틸드를 꼭 껴안은 다음 사다리로 내려갔다. 그리고는 사다리가 있던 흔적을 지우기 위해 잔디를 다듬고 있는데 무엇인가 손등으로 떨어졌다. 마틸드의 머리카락이었다.

점심을 알리는 종소리에 쥘리앵은 눈을 떴다. 식당으로 내려가다가 마틸드의 짧아진 머리카락을 보고 쥘리앵은 가슴이 철렁 내려앉았다. 저녁때 마틸드는 쥘리앵에게 말을 걸었다.

"내 방에 오지 마세요. 당신을 피하려는 게 아니에요. 어머니가 내 방에 하녀를 재우겠대요."

다음 날 쥘리앵은 마틸드를 아침 일곱 시부터 기다렸다. 그러나 점심때쯤에야 겨우 식당에서 그녀를 만날 수 있었다. 그녀는 공을 들여 머리 손질을 했다. 그녀는 한두 번 쥘리앵을 보기는 했지만 시치미를 떼고 있었다.

이제 '나의 주인'이라고 부르던 때의 열정은 없었다. 마틸드는 모든 것을 후회하고 있었다. 깊이 생각해 보니 쥘리앵이 평범한 사람은 아니지만 자기가 적극적일 만큼 아주 멋진 사내는 아니라는 생각이 들었기 때문이다.

밀 서

후작이 쥘리앵을 불렀다. 후작의 눈에는 생기가 돌았다.

"자네는 기억력이 좋다고 들었네. 런던에 가서 4페이지 정도를 외워 암송할 수 있겠나? 물론 한 마디도 틀리지 않게."

"후작님께서 원하신다면 내일 아침 신문을 암송해 드리겠습니다."

"나는 자네를 열두 명의 사람들이 모이는 살롱에 데리고 갈 걸세. 자네는 거기서 사람들이 말하는 것을 기록해야 하네. 걱정할 것 없어. 소란스럽게 떠들지는 않을 테니까. 우리가 이야기하는 동안 자네는 20페이지쯤 받아 써야 하네. 그리고 나와 함께 여기로 와서 그것을 4페이지로 압축하는 걸세. 자네는 그 살롱에 가서 높은 사람을 만나게 된다네. 거기서는 재치 있게 행동해야 하네. 무엇보다 그의 비서들이나 하인들 중에는 적에게 매수된 사람들이 있을지도 모르니까. 런던에 가서 공작을 뵙게 되거든 나의 이 회중 시계를 보여 드리게. 공작께서 손수 자네가 외우고 간 것을 받아 적으실 걸세. 각하가 질문하면 자네가 오늘 참석하는 살롱에서의 내용을 이야기하면 되네. 자네를 죽이려는 자들이 있으니까 조심해야 하네. 만약 자네가 죽게 되면 자네의 사명은 끝장이 나고 나는 허탕을 치는 거지. 2년 전에 유행했던 옷을 입고 가게. 오늘 모임은 수수하게 입고 가는 게 좋아."

그 후로 한 시간 뒤 쥘리앵은 하인 같은 옷차림을 하고 나타났다. 후작은 쥘리앵을 보고 생각했다.

'만약 이 청년도 나를 배신한다면 나는 누구를 믿어야 하지? 어쨌든 나는 일을 하려면 누군가를 신뢰해야 해. 아들놈의 친구들은 용기도

없고 암송할 능력도 없지.'

이들은 마차를 타고 살롱에 도착했다. 겉으로 보기에는 쓸쓸한 방이 었다. 그 집 주인은 체구가 컸다. 쥘리앵이 보기에 그는 말을 잘 하는 것 같았다.

쥘리앵은 이 살롱에서 서로가 이름을 부르지 않는 것을 이상하게 생각했다. 그 때 한 사람이 들어오자 모두 일어서서 그에게 인사를 했다. 그는 키가 작고 혈색이 좋았으며 눈은 영리해 보였다. 뒤이어 다른 사람이 들어왔다. 그는 키가 크고 말랐다. 곧이어 아그드의 주교가 나타났다. 사람들은 몇 그룹으로 나누어져 이야기를 시작했다. 그 때 하인이 소리쳤다.

"OO 공작님이십니다."

그가 자리에 앉으면서 회의가 시작되었다. 그 때 라몰 후작이 말했다.

"소렐 씨를 소개하겠습니다. 기억력이 아주 놀랍습니다."

그랬더니 의장인 듯한 사람이,

"이 사람은 우리의 신성한 일을 위해 애쓰는 젊은 신학도입니다. 우리가 한 이야기를 자세한 부분까지 각하에게 전해 줄 것입니다."

라고 말하더니 회의를 시작했다.

쥘리앵은 종이를 펴 놓고 받아 썼다. 그리고 새벽 세 시쯤에 후작과 함께 나왔다. 쥘리앵이 속기한 26페이지를 4페이지로 압축했을 때 시간은 벌써 5시가 되었다.

다음 날, 후작은 쥘리앵을 파리에서 떨어진 별장으로 데리고 갔다. 그곳에는 사람들이 모여 있었는데 성직자들 같았다. 쥘리앵은 몇 번이고 그가 암송한 밀서를 암송해 보였다. 후작은 기억력은 걱정하지 않았지만 쥘리앵이 도중에 유괴를 당할까 봐 걱정했다.

"그저 심심풀이로 여행하는 사람처럼 꾸며야 하네. 아마 어젯밤의 모임에도 스파이가 두 명 정도는 있었을 거야."

쥘리앵은 런던을 떠났다. 몹시 우울한 여행이었다. 며칠 후 쥘리앵은 런던에 도착해서 공작과의 면회를 신청했지만 허사였다. 다행히 오후 네 시에 공작이 산책을 나왔다. 쥘리앵은 공작에게 성큼성큼 다가가 라 몰 후작의 회중 시계를 보여 주었다.

"떨어져서 걸어오게."

1킬로미터쯤 가다가 공작은 작은 카페로 들어갔다. 그 카페의 한 방에서 쥘리앵은 암송한 것을 들려주었다. 다시 한 번 들려달라는 공작의 요청으로 쥘리앵은 다시 암송을 했고 공작은 그것을 받아 적었다.

"걸어서 다음 정거장까지 가게. 소지품과 마차는 이 곳에 두고 가게. 스트라스부르로 갔다가 열흘이 지난 22일 낮 12시 30분까지 이 곳으로 다시 와 주게. 앞으로 30분 동안은 여기서 나가지 말게. 그리고 쓸데없는 말도 하지 않도록."

쥘리앵이 들은 말은 그것뿐이었다. 쥘리앵은 먼 길을 돌아서 스트라스부르로 갔다.

코라조프 공작의 도움

스트라스부르에서 일주일을 보내게 된 쥘리앵은 그 곳에서 마틸드를 생각했다. 그녀와 아무 사이도 아니라고 생각하는 일은 힘들었다. 마틸드는 쥘리앵의 마음을 온통 점령하고 있었다.

그는 우울한 마음으로 말을 타고 라인 강변의 조그만 도시로 갔다. 몇 달 전에 상류 사회의 예의범절을 가르쳐 주었던 러시아의 코라조프 공작이 있어 만나러 간 것이었다. 그는 쥘리앵을 보고 무척 반가워했다.

"런던에서는 위엄을 지키는 게 중요하지만 당신은 너무 지나쳐요. 우

울한 표정은 좋지 않아요. 무슨 걱정거리라도 있나요?"

쥘리앵이 계속 침울해 있는 것을 보고 공작이 다시 물었다.

"대체 무슨 일입니까? 여비가 떨어졌나요? 아니면 어떤 여자한테 반했습니까?"

"예, 스트라스부르에서 마음에 드는 여자가 생겼습니다. 그런데 버림을 받았습니다. 귀엽게 생긴 여자인데 사흘 동안 나를 농락하고는 버렸습니다. 그 변심에 뼈 아프게 슬픕니다."

"아마도 그 여자의 남편은 굉장한 부자겠죠? 아니면 그 여자가 최고의 귀족이거나. 아무튼 자랑할 만한 무언가를 갖고 있겠죠? 좋습니다. 여기 세 가지 처방이 있습니다. 상당히 쓰지만 효험이 있을 거예요. 먼저 그 여자에게 쌀쌀맞거나 성난 태도를 보이지 마십시오. 부인의 사랑을 받기 전과 똑같은 태도를 취하십시오. 그런 태도로 그 부인을 날마다 만나십시오. 그리고 그 여자와 같은 계급에 있는 다른 여자에게 접근하십시오. 하지만 그 여자를 사랑하는 것 같은 눈치는 보이지 마십시오. 아참! 그 여자가 만나는 사람들은 어떤 사람들이죠?"

"양말 장수의 딸들로 새침데기들이죠. 아, 그래요? 돈 많은 양말 장수의 딸에게 접근하면 되겠네요. 눈이 무척 아름다운 여자예요. 이 지방에서는 가장 가문이 좋지요. 그리고 그 부친은 스트라스부르에서도 가장 이름난 상인이지요."

쥘리앵은 라몰 가에 자주 오는 페르바크 원수 부인을 생각하고 말했다.

그녀는 원수와 결혼했는데 1년 만에 남편이 죽었다. 코라조프 공작은 자기의 충고를 감사하게 받아들이는 쥘리앵 때문에 의의양양해졌다. 그는 말을 이었다.

"그 양말 장수 여자에게 편지를 쓰세요. 아주 열렬한 문장을 사용하는 겁니다. 연애편지를 읽는 것은 여자들에게 기쁜 일이죠."

"저는 연애편지를 쓰지 못합니다."

"걱정하지 마십시오. 나에게는 편지를 모아 놓은 책이 여섯 권이나 있어요. 여자들의 성격별로 유형이 나누어져 있지요. 그 여자가 정숙하다고 했나요? 그런 여자에게 맞는 편지도 있지요."

다음 날 코라조프 공작은 정숙한 여인에게 보내는 53통의 편지를 보여 주었다.

그들은 매일 함께 말을 타고 달렸다. 코라조프 공작은 쥘리앵이 아주 마음에 들었다. 그래서 러시아에 있는 자기 사촌 여동생과 결혼하지 않겠느냐고 물었다. 쥘리앵은 마음 한편으로 그의 제의를 받아들이고 싶었으나 직무상 다시 파리로 돌아가지 않으면 안 되었다.

쥘리앵은 비밀 문서에 대한 답장을 받아 파리로 돌아왔다. 그리고는 페르바크 부인의 환심을 사야겠다고 생각했다.

쥘리앵의 계획

쥘리앵은 파리로 돌아와서 라몰 후작에게 편지를 전해 준 다음 알타미라 백작을 찾아 달려갔다. 페르바크 부인이 알타미라 백작을 자주 만나고 있기 때문이었다. 쥘리앵은 백작에게 자기가 페르바크 부인을 사랑하고 있다며 도와 달라고 했다.

"그 부인은 참으로 순결하고 정숙한 여자지요."

그리고는 일전에 페르바크 부인을 좋아했던 남자를 찾아가 어떻게 그녀에게 접근하는 것이 좋을지 자문을 구했다.

만찬 시간이 다가왔다. 드디어 마틸드와 만나게 되는 것이다. 초조해진 쥘리앵은 시간이 다가올수록 정원과 살롱 사이를 왔다갔다했다. 드디어 손님들이 살롱으로 모여들었다. 살롱 문이 열릴 때마다 쥘리앵의 가슴은 몹시 두근거렸다. 모두가 참석하고서야 마틸드가 나타났다.

그녀는 사람들을 기다리게 하는 버릇을 버리지 못하고 이렇게 매일 늦게 나타났다. 그녀는 쥘리앵을 보자 얼굴을 붉혔다. 마틸드는 쥘리앵이 돌아왔다는 사실을 모르고 있었다. 쥘리앵은 마틸드의 손을 보았다. 그 손은 떨고 있었다. 라몰 후작은 쥘리앵을 칭찬했다. 부인도 수고했다고 말했다. 쥘리앵은 자기 자신에게 말했다.

'마틸드를 바라보지 말아야 해. 그렇다고 시선을 피해서도 안 돼.'

여덟 시경이 되자 페르바크 부인이 왔다. 쥘리앵은 슬쩍 살롱에서 나와 제일 근사한 옷으로 갈아입고 다시 살롱에 나타났다. 라몰 부인은 페르바크 부인에게 쥘리앵의 여행 이야기를 했다. 페르바크 부인은 모든 사람을 압도할 만큼 아름다웠다.

그녀는 오페라 구경을 갈 거라고 했다. 쥘리앵도 그 곳을 따라가서 부인과 가까운 자리에 앉았다.

한편, 마틸드는 쥘리앵이 여행을 하고 있는 동안에 그를 거의 잊고 살았다.

'그 사람도 흔해빠진 사람이야. 내가 그를 사랑한 건 실수였어.'

그녀는 크르와즈느와 후작과의 약혼을 결정하는 듯한 태도를 보였다. 크르와즈느와 후작은 무척 기뻐했다. 그러나 쥘리앵이 여행에서 돌아오자 그녀의 마음은 다시 변했다.

'이 사람이야말로 나의 남편이야. 내가 결혼해야 할 사람은 쥘리앵이라고.'

그녀는 쥘리앵이 돌아오면 자기를 귀찮게 따라다닐 것이라고 예상했었다. 그런데 그는 전혀 그런 기미가 없었고 오히려 자기를 거들떠보지도 않아 우울했다.

페르바크 부인은 라몰 집안의 사람들이 이상하다고 생각했다. 남의 이야기만 듣는 젊은 신학생인 쥘리앵에게 모두 열을 올리고 있었기 때문이다.

'하긴 그의 눈은 정말 근사해.'

쥘리앵은 원수 부인의 태도가 귀족적이고 침착하다고 생각했다. 그녀는 충동적인 행동을 하지 않는 자제력 있는 여자 같았다. 원수 부인은 매일 밤마다 라몰 후작 집에 왔다. 쥘리앵은 그녀 근처에 앉아 원수 부인에게 말을 건네며 은근히 마틸드의 질투심을 유발했다.

'페르바크 부인에게 저렇게 열심히 이야기를 하다니. 흥, 맘대로 하라지, 뭐.'

자정쯤 해서 마틸드가 침실로 올라갈 때 라몰 부인이 그녀를 데려다주며 쥘리앵을 칭찬했다.

"그렇게 어려운 일을 해내다니, 참 대견한 청년이야. 용기가 대단해."

그렇지 않아도 쥘리앵 때문에 기분이 언짢은 마틸드는 비위가 더욱 상했다.

그날 밤은 잠도 오지 않았다.

한편, 쥘리앵은 자기의 행동에 대해 은근히 기분이 좋았다. 그러다가 편지 생각이 났다.

'그래, 만난 지 일주일이 지나면 편지를 보내라고 했지. 이런! 일주일이 훨씬 지났어.'

쥘리앵은 부랴부랴 공작이 준 연애편지를 베끼기 시작했다. 설교 투의 문장에 하품이 나올 지경이었다. 쥘리앵은 아직 살롱을 떠나지 않은 페르바크 부인에게 살짝 편지를 건네주었다.

그날 밤, 페르바크 부인은 돌아가는 마차에서 쥘리앵을 생각했다.

'라몰 부인의 말대로 그 젊은 신학생은 아주 똑똑해. 편지의 문장도 괜찮고. 지금까지 내가 받은 편지와는 전혀 문체가 달라. 장차 신부가 될 사람의 글이라 그런지 거룩함, 진실, 신념이 넘치고 있어.'

'두 번째 편지도 따분하겠지.'

쥘리앵은 두 번째 편지를 보았다. 생각했던 것보다 더 따분했다. 그래서 문장의 뜻은 생각하지도 않고 그냥 기계적으로 옮겨 적었다.

쥘리앵은 편지를 베껴쓰는 단조로운 일을 2주일 동안이나 했다.

열다섯 번째 편지를 베끼고 있던 쥘리앵은 생각했다.

'지금까지 편지를 보냈는데 부인은 전혀 표정이 변하질 않아. 편지를 주기 전과 하나도 다를 게 없어. 대체 결말이 어떻게 날 건지……'

어느 날 아침, 쥘리앵은 편지 한 통을 받았다. 페르바크 부인에게서 온 것이었다. 기쁜 마음으로 편지를 뜯어 보았는데 만찬회 초대장이었다. 쥘리앵은 부인의 살롱을 찾았다. 호화로운 장소였다. 금빛으로 번쩍이는 홀에 그림이 즐비하게 걸려 있었다. 그 살롱에는 지난 번 밀서를 작성할 때 참석했던 사람도 있었다. 그 중의 한 사람은 원수 부인의 큰아버지로 성직 임명권을 쥐고 있는 주교였다. 주교는 조카인 페르바크 부인의 부탁은 무조건 들어준다고 했다.

'나는 이제 굉장한 세계에 발을 디뎠어!'

하지만 만찬은 도저히 참을 수 없을 정도로 따분했다.

괴로운 연극

어느 날 저녁, 오페라 극장의 페르바크 부인의 특별석에서 쥘리앵은 〈마농 레스코〉라는 발레를 보고 그 작품을 칭찬했다. 그러자 원수 부인은 원작 소설에 훨씬 못 미친다고 혹평했다.

'덕망 높은 부인이 소설을 칭찬하다니!'

쥘리앵은 놀랍기도 하고 흥미도 생겼다. 페르바크 부인은 사실 작가들을 자주 공격했었다. 청년들을 타락시키려 한다고 비난했다.

"비도덕적인 위험한 작품 중에서도 〈마농 레스코〉는 으뜸이지요. 죄를 지은 인간의 고뇌를 사실적으로 묘사했어요. 당신이 좋아하는 보나파르트가 센트헬레나 섬에서 읽기에 알맞은 소설이죠."

그 말에 쥘리앵은 정신이 번쩍 들었다. 누군가가 쥘리앵이 나폴레옹을 좋아한다는 사실을 고자질한 것이었다. 부인은 쥘리앵과 작별 인사를 하면서 말했다.

"명심하세요. 나를 좋아하는 사람은 나폴레옹에게 열광해서는 안 돼요. 나폴레옹은 너무 위험한 인물이에요."

쥘리앵이 페르바크 부인과의 편지를 주고받고 살롱에서 이야기하는 동안 마틸드는 쥘리앵에 대한 생각을 하지 않으려고 애썼다. 그녀는 마음의 갈등에 사로잡혀 있었다.

쥘리앵도 권태로운 하루하루를 보냈다. 날마다 부인의 살롱에 가는 것은 괴롭고 재미없는 일이었다. 억지로 마틸드의 질투를 유발시키는 역할을 하려니 마음과 육체가 모두 지쳐 있었다. 그러다가 마틸드가 약혼자에게 상냥한 태도를 취하면 쥘리앵은 화가 나서 자기 방으로 들어와 권총을 물끄러미 바라보았다.

'나 같은 놈은 인적이 드문 숲 속에 들어가 죽는 게 나을 거야. 내가 죽더라도 나를 기억해 줄 사람은 없겠지……'

그러다 마틸드의 아름다운 손이라도 보게 되면 쥘리앵은 견딜 수 없을 만큼 괴로웠다. 마틸드에게 괴로운 연극을 한 달 반이나 계속 하면서 쥘리앵은 망상에 빠지기도 했다.

'어쩌면 마틸드가 나에게 화해를 청할지도 몰라. 그러면 얼마나 좋을까. 하지만 잠깐일 거야. 그녀는 분명히 나에게 금방 싫증을 느끼고 나를 또 버릴 테니까. 아아, 어쩌면 좋을까?'

어느 날, 페르바크 부인은 문지기에게 편지가 왔느냐고 세 번씩이나 물어보았다. 그리고 쥘리앵에게 답장을 쓸까 하는 생각을 했다.

결국 그녀는 매일마다 쥘리앵에게 편지를 보냈다. 어느 날 아침, 문지기가 서재에 있는 쥘리앵에게 원수 부인의 편지를 갖다 주려고 할 때 마틸드가 나타났다. 그녀는 편지의 겉봉을 슬쩍 보았다. 마틸드는 문지기가 서재에서 나오자마자 그곳으로 들어갔다. 편지는 책상에 그대로 놓여 있었고 쥘리앵은 사무를 보느라 정신이 없었다. 마틸드는 그 편지를 움켜쥐면서 외쳤다.

"더 이상 참을 수 없어요! 나를 벌써 잊어버리셨군요. 그래도 나는 당신의 아내예요. 이건 너무해요."

이렇게 말해 놓고 마틸드는 자존심을 버린 자신의 경솔한 행동에 어쩔 줄 몰라 했다. 그리고는 그 자리에 털썩 주저앉아 울음을 터뜨렸다. 쥘리앵은 드디어 자기 작전이 성공했구나 하고 기뻐하면서도,

'마음이 흔들리면 안 돼. 모든 것을 망친다고!'

하며 변함없이 냉정한 표정을 지었다.

쥘리앵의 싸늘하고 무정한 태도에 마틸드는 자존심이 더욱 상해 가슴

이 찢어지는 것 같았다.

'어쩌면 이렇게 비참할까? 내가 이런 하찮은 하인에게 거절을 당하다니. 우리 아버지의 비서한테 말이야.'

그러나 다음 순간, 마틸드는 자기도 모르게 쥘리앵의 무릎에 몸을 던졌다.

"아아, 용서해 줘요. 나를 욕하고 싶으면 욕해요. 나를 경멸하고 싶으면 경멸해요. 하지만 나를 사랑해 줘요. 나는 이제 당신 없이 살아갈 수 없어요."

그리고 나서 마틸드는 정신을 잃고 쓰러졌다.

라몰 후작의 분노

영국의 어떤 여행가는 호랑이와 사이좋게 살고 있었다. 어릴 때부터 귀엽게 키운 호랑이였지만 그는 항상 책상 위에 탄알이 든 권총을 놓아두는 것을 잊지 않았다고 한다. 호랑이가 언제 어떻게 자기한테 덤벼들지 모르기 때문이다.

마틸드는 임신을 했다. 그녀는 기쁨을 감추지 못해 그 사실을 쥘리앵에게 말했다.

"이젠 내 사랑을 의심하지 않겠지요? 난 영원히 당신의 아내예요."

이 말에 쥘리앵은 깊이 감동했다.

"아버지에게 편지를 쓰겠어요. 아버지는 나에게 친구 같은 분이시죠. 그런 분을 속이는 것은 옳지 않아요."

"뭐라고요? 라몰 후작에게 알리겠다고요? 그러면 나는 쫓겨나고 말거예요!"

"안 돼요. 나는 아버지에게 알려야 해요."

"좋아요. 그렇다면 당신의 남편으로서 명령하겠소. 오늘은 화요일이오. 내주 화요일은 레츠 공작의 초대가 있는 날이오. 그 날 후작께서 돌아오시면 그 때 편지를 드리시오. 후작은 당신을 공작 부인으로 만드는 게 소원입니다. 그런데 일이 이 지경까지 되었으니 얼마나 속상하시겠습니까?"

마틸드가 후작에게 모든 것을 고백한다고 하자 쥘리앵의 마음은 불안하기 짝이 없었다.

'마틸드와 강제로 헤어지게 하지 않을까? 그리고 쫓아내겠지. 아무리 마틸드가 괴로워하더라도 한 달이 지나면 나를 까맣게 잊을 거야. 라 몰 후작에게 받을 질책을 생각하니 앞이 까마득하군.'

이윽고 숙명의 날이 왔다. 한밤중에 집에 들어온 후작은 한 통의 편지를 받았다.

　아버지께
　아버지, 당신은 저에게 소중한 분이십니다. 저는 지금 눈물이 앞을 가립니다. 저로 인해 아버지가 얼마나 괴로우실까 생각하면 말이에요. 아버지는 저를 유독 귀여워해 주셨지요. 그러니 이제 제가 사랑하는 남자를 받아 주십시오. 그는 바로 베리에르 목재상의 아들인 쥘리앵 소렐입니다. 아버지가 신뢰하는 비서지요. 아마도 아버지는 쥘리앵 때문에 화가 나시겠지요.
　아버지, 저는 공작 부인이 될 수 없습니다. 쥘리앵을 좋아하게 될 때부터 그것을 알고 있었습니다. 제가 먼저 그를 좋아했고 제가 먼저 유혹했습니다.
　물론 크르와즈느와 씨에 대해 많이 생각해 봤습니다. 하지만 그가 절대 좋아지질 않았습니다. 언젠가 아버지께서는 '나를 즐겁게 하는 사람은 쥘리앵뿐이야.' 라고 말씀하셨지요. 저도 마찬가지입니다.

아버지, 저는 이제 그 사람이 가는 곳이라면 어디든 따라가겠습니다. 저는 그 사람의 아기를 가졌습니다. 만약 아버지께서 생활비로 6천 프랑을 주신다면 그저 고맙게 받겠습니다. 저의 수치를 알리지 않는다면 스위스에라도 가서 살겠습니다. 만약 생활비를 주시지 않으시면 브장송으로 가서 쥘리앵이 라틴 어와 문학을 가르치며 받는 수입으로 살 작정입니다. 아무리 낮은 신분에서 시작하더라도 그는 꼭 출세할 거예요. 만약 혁명이라도 일어나면 그 사람은 혁명의 중심에서 일하게 될 것입니다.

아버지, 부디 저희를 용서하시고 저희 부부의 미래를 축복해 주세요.

쥘리앵은 초조한 마음으로 결과를 기다렸다. 얼마 후 후작의 하인이 그를 불렀다.

"후작님이 찾으십니다. 몹시 화가 나셨으니 조심하십시오."

라몰 후작은 쥘리앵에게 무섭게 화를 냈다. 그런 모습은 처음이었다.

후작은 입에 담지 못할 욕설과 저주를 퍼부어 댔다. 쥘리앵은 그의 마음을 이해했다.

'그렇게 믿어 주시던 나였는데……. 거기다 따님이 당연히 공작 부인이 될 거라고 생각하셨으니 당연하지. 내가 잠자코 있으면 더 화가 나실 거야. 뭐라고 말씀 드려야 하지?'

한편 라몰 후작은 이렇게 생각했다.

'이게 무슨 꼴인가! 내 딸이 쥘리앵의 아내가 된다니. 내 딸이 공작

부인이 되기는 틀렸단 말인가!'

라몰 후작은 견딜 수 없는 마음의 고통을 느꼈다. 그리고 쥘리앵을 비난했다.

"자넨 여기를 떠났어야 했어. 그랬어야 했어."

쥘리앵은 책상 앞으로 가서 차마 입으로 하지 못하는 말을 글로 써서 후작에게 주었다. 그 내용은 이랬다.

후작님, 저는 오래 전부터 사는 것이 견딜 수 없는 일이 되었습니다. 이제 저는 제 삶의 종지부를 찍으려 합니다. 후작 각하에게 감사를 표하며 댁에서 목숨을 끊을지도 모를 폐해에 대해 용서를 빕니다.

그 쪽지를 전하면서 쥘리앵은 이렇게 말했다.

"후작님, 저를 직접 죽이시든지 하인을 시켜 죽이시든지 하십시오. 이제부터 저는 정원 담장 밑을 서성거릴 테니 말입니다."

"어디로든 썩 꺼져 버려!"

후작은 방을 나가는 쥘리앵의 등에다 대고 소리를 질렀다. 쥘리앵은 죽을 것을 생각했다. 그러나 자기가 곧 아기의 아버지가 될 것을 생각하니 죽을 수가 없었다.

'아이를 위해서도 죽어선 안 돼.'

쥘리앵은 이 문제를 상의하기 위해 피라르 신부를 찾았다. 쥘리앵은 자기가 겪고 있는 현재의 상황을 숨김 없이 이야기했다. 화를 내며 혼을 낼 줄 알았는데 피라르 신부는 오히려 걱정스런 얼굴로 말했다.

"이런 일이 있을 줄 짐작은 했었어. 다 내 잘못이야."

"후작님은 어떤 조치를 내리실까요?"

"글쎄."

"후작님은 아마 저를 죽이실지도 모릅니다. 아들을 통해 저에게 결투를 신청해서 죽일 수도 있지요. 아니면 저를 멀리 추방시킬지도 모릅니다. 만약 저에게 어디로든 떠나라고 하시면 저는 그렇게 할 것입니다. 하지만 참을 수 없는 것은 제 자식을 낙태시킬지도 모른다는 사실입니다."

"아마도 그러시겠지……."

한편, 마틸드는 절망에 빠져 있었다. 후작은 쥘리앵이 주고 간 쪽지를 마틸드에게 보여 주었다. 그녀는 혹시 쥘리앵이 자살이나 하지 않았을까 조마조마했다.

"그 사람이 죽으면 저도 따라 죽을 거예요. 만약 그가 죽는다면 저는 소렐 미망인이라고 사람들에게 알리겠어요."

마틸드는 슬픔에 복받쳐 미칠 듯이 울었다. 후작 부인은 이게 대체 어떻게 된 일인지 몰라 어안이벙벙해져 있었다. 라몰 후작은 이성적으로 생각하기 시작했다. 마틸드는 점심 시간에 식당에 나타나지 않았다. 후작은 딸이 쥘리앵과의 사이를 어머니에게 이야기하지 않은 것을 다행으로 여겼다.

쥘리앵이 나타나자 마틸드는 쥘리앵에게 달려가 그의 품에 안겼다. 마틸드는 눈물을 글썽이며 써 놓고 간 쪽지를 보았다고 말했다.

"지금 곧 빌르키에로 떠나 주세요. 아버지가 당신을 죽이려 할지도 몰라요. 사람들이 정원에 나타나기 전에 이 집에서 나가 주세요. 뒷일은 제가 책임질게요. 당신과 헤어지려고 하는 것이 아닌 거 잘 아시죠? 전할 말이 있으면 하녀 앞으로 편지를 보내 주세요. 저도 편지를 보낼게요. 그럼 안녕! 빨리 도망치세요!"

쥘리앵은 마틸드가 시키는 대로 했다.

후작은 딸의 완강한 태도에 화가 났다. 그는 마음이 다소 누그러지자 딸에게 말했다.

"여기 일만 프랑의 연금 증서가 있다. 이걸 쥘리앵에게 전해 주렴."

쥘리앵은 멀리 떠나 있었다. 그러다가 후작의 관대한 조치가 있었다는 것을 알고 파리로 돌아와 피라르 신부 집에 있기로 했다. 피라르 신부는 쥘리앵이 파리에 없는 동안 마틸드에게 위로가 되어 주었다. 후작이 신부에게 딸 문제를 의논할 때마다 신부는 그 둘을 정식으로 결혼시키는 것이 하느님께 죄를 짓지 않는 것이라고 말했다. 라몰 후작은 깊은 생각에 잠겼다.

'누가 이렇게 될 줄 알았겠는가! 프랑스에서 손꼽히는 명문 집안에서 모두 탐을 내던 며느릿감인 내 딸에게 이런 불상사가 일어나다니!'

라몰 후작의 고민

후작은 쥘리앵을 용서할 마음이 생기질 않았다.

'그 녀석이 갑작스런 사고로 죽어 주었으면 좋겠어.'

라몰 후작은 어떤 결정도 내리지 못했다. 한 달이 흘렀다. 라몰 후작 집안 사람들은 쥘리앵이 토지 관리를 위해 멀리 떠나 있는 줄로 알고 있었다. 그러나 쥘리앵은 피라르 신부 사제관에 있었고 그 곳에서 매일 마틸드를 만났다. 마틸드는 아침마다 한 시간 정도 아버지와 함께 시간을 보냈지만 두 사람 모두 머리를 아프게 하는 문제에 대해서는 전혀 이야기하지 않았다. 그러던 어느 날, 후작이 말했다.

"나는 그놈이 어디에 있는지 알고 싶지 않아. 하지만 이 편지를 전해 다오."

마틸드는 그 편지를 읽어 보았다.

랑그도크의 영지에는 일 년에 2만 6백 프랑의 수입이 생기네. 그 중 1만 6백 프랑은 딸에게, 1만 프랑은 자네에게 주겠네. 물론 영지를 물려주는 걸세. 이것으로 우리 관계는 끝내기로 하세.

이 편지를 읽고 마틸드는 생기에 넘쳐 말했다.
"아버지, 감사합니다. 저희들은 멀리 떨어져서 살겠어요."
이 증서를 보고 쥘리앵은 몹시 놀랐다. 가난뱅이에게는 상상도 못할 재산이 굴러온 것이다.
마틸드는 오직 쥘리앵을 사랑하는 일에 열중했다. 하지만 쥘리앵과는 헤어져 있어야 했다. 마틸드는 사랑하는 남자를 마음대로 만날 수 없다는 것에 짜증이 났다. 속이 상한 마틸드는 아버지에게 편지를 썼다.

저는 라몰 후작의 딸로 즐겁고 향락적인 생활을 할 수 있었지만 쥘리앵을 선택했습니다. 저는 남편과 떨어져 산 지 벌써 한 달 반이 지났어요. 이번 목요일에 저는 집을 나가겠습니다. 그가 있는 곳으로 가겠어요. 아버지 덕분에 저희는 부자가 되었어요. 우리의 비밀을 아는 사람은 피라르 신부뿐입니다. 그 분의 주례로 결혼식을 올리고 결혼식이 끝나면 랑그도크로 가겠어요. 그리고 아버지의 허락 없이는 파리로 오지 않겠습니다.

후작은 이 편지를 읽고 난처했다. 결단을 내릴 때가 온 것이다. 지난 한 달 반 동안 라몰 후작은 쥘리앵을 부자로 만들어 주려고 했다. 하지만 다시 생각하니, 가난뱅이에게 자기 딸을 시집 보내는 일이 억울하고

분했다. 그래서 다음 날 다시 마음이 바뀌었다. 후작은 쥘리앵을 없애야 겠다고 생각했다. 행방불명을 시킬까, 죽일까를 생각했다. 그러다가 그냥 그에게 출세의 길을 열어 주어야겠다고 생각했다. 자기 영지 중 하나를 주고 그 지역에 그의 칭호를 쓰게 할까, 또 자작의 작위를 줄까도 생각했다. 이렇게 후작의 마음은 갈피를 잡지 못하고 오락가락했다.

'쥘리앵은 대담하고 훌륭한 청년이야. 사무 능력도 뛰어나지. 하지만 그 녀석에겐 무시무시한 것이 숨어 있는 것 같아. 한 가지 분명한 것은 그 녀석은 모욕을 당하는 것에 몹시 민감하지. 가문이나 문벌이 좋은 것에 대해 별로 관심이 없고 우리를 존경하지도 않아.'

이런 공상에 빠져 있다가 문득 딸의 편지가 떠올랐다.

'마틸드는 자기가 먼저 쥘리앵을 좋아했다고 말했지만 사실이 아닐 거야. 우연히 싹튼 사랑일까? 아니면 그 녀석의 철저한 계산에 마틸드가 넘어간 것일까? 이 녀석이 브장송과 베리에르에서는 어떻게 살았는지 조사해 봐야겠어.'

후작은 시간을 좀더 벌어 보자는 마음에서 딸에게 편지를 썼다.

더 이상 어리석은 짓을 하지 말아라. 내가 쥘리앵을 베르네 준남작으로 만들 테다. 여기 베르네 준남작에 대한 기병 중위의 사령장을 동봉한다. 이것을 그에게 전해 주어라. 내가 그를 위해 얼마나 애를 쓰고 있는지 알았을 거다.

쥘리앵은 이제 스트라스부르로 가서 소속 연대의 중위가 된다. 그리고 거래 은행 앞으로 수표를 발행할 테니 찾아서 쓰게 해라.

마틸드는 너무 기뻐서 아버지에게 바로 답장을 썼다.

쥘리앵이 베르네 씨가 되었다는 것을 알면 아버지께 무릎을 꿇고 감사할 거예요. 하지만 이렇게 친절하게 해 주시면서 저를 잊으시면 안 돼요.

다음 달에 그와 결혼식을 올리도록 해 주세요. 그 약속을 하시기 전까지는 이 사령장을 전해 줄 수 없어요. 쥘리앵에게 소렐이란 성에서 벗어나게 하시고 베르네라는 성을 주신 것을 충심으로 감사드립니다.

후작도 답장을 보냈다.

내가 시키는 대로 해라. 그렇지 않으면 모든 것을 취소할 것이다. 너는 아직 쥘리앵이 어떤 사람인지 모른다. 그 사람의 정체를 모른단 말이다.

이 답장에 마틸드는 깜짝 놀랐다.

'쥘리앵의 정체라니…….'

마틸드는 아버지의 말에 복종하기로 했다. 그날 밤, 쥘리앵은 마틸드로부터 자기가 기병 중위로 임명되었다는 사실을 듣고 기뻐서 얼떨떨했다.

'아, 라몰 후작은 자기 딸을 무척 사랑하고 있어. 자기 딸 없이는 살 수 없지. 그리고 이 여자는 나 없이 살 수 없고.'

레날 부인을 향한 원망

어느 날, 쥘리앵은 아침 일찍 피라르 신부 댁으로 갔다. 신부는 돈을 내놓으며 말했다.

"자, 5만 프랑이네. 라몰 후작이 자네에게 주신 거야. 후작이 말씀하셨어. '쥘리앵 드 라 베르네 씨는 이 돈을 생부에게 받은 것으로 해 두도록. 그리고 어렸을 때 돌봐 준 베리에르의 목재상 소렐 씨에게 적당한 선물을 하는 게 좋다'고 말일세……. 그리고 나는 프릴레르 신부와 화해하라고 라몰 후작을 설득했다네. 그의 세력은 우리로서는 감당할 수 없으니까. 그 자는 이제 브장송을 지배하고 있다네. 자네의 출생에 대해 묵인해 주는 조건으로 화해를 할 걸세."

"감사합니다, 신부님!"

며칠 후 육군에서도 정예 부대로 유명한 제15경비병 연대가 스트라스부르의 연병장에서 전투 대형을 취하고 있었다. 베르네 준남작이 된 쥘리앵은 6천 프랑짜리의 명마를 타고 있었다. 그는 중위로 입대한 것이다. 그의 의젓한 태도, 매서운 눈초리, 조금도 흔들리지 않는 침착함 등으로 그는 첫날부터 유명해졌다. 며칠 만에 그는 연대 안의 사람들에게 결점이 없는 완벽한 사람으로 인정받게 되었다. 중위로 복무하고 있는 그에게 어느 날 라몰 가에서 편지가 왔다. 마틸드였다.

모든 것이 끝장났어요. 빨리 와 주세요. 우리 집 정원 뒷문에서 기다리세요.
내가 가서 모두 말씀 드릴게요. 하지만 저를 믿어 줘요. 어떤 역경 속에서도 나는 당신을 포기하지 않을 거예요. 당신을 사랑해요.

쥘리앵은 즉시 연대장의 허가를 얻어 전속력으로 말을 달려 파리로 달려갔다. 견딜 수 없이 불안했다. 라몰 가의 정원 후문에 이르렀을 때 마틸드가 먼저 쥘리앵을 보고 달려와서 와락 안겼다.

"모든 게 끝났어요. 아버지는 내가 우는 게 보기 싫다고 목요일 밤에 떠나셨어요. 어디로 가셨는지는 아무도 몰라요. 이게 아버지가 남긴 편지예요. 읽어 보세요."

내 딸아. 나는 다 용서해 주려고 했다. 그러나 쥘리앵이 재산을 탐내어 너를 유혹한 것은 용서할 수가 없구나. 그게 쥘리앵의 본모습이란다. 나는 절대 너와 쥘리앵의 결혼에 동의할 수 없다. 그 사람이 너를 떠나 멀리 가서 산다면 그에게 1만 프랑의 연금을 줄 것을 약속한다. 내가 동봉한 편지를 읽어 보아라. 이 편지는 쥘리앵이 유혹했던 레날 부인이 쓴 편지란다. 앞으로는 네가 쥘리앵에 대해 뭐라고 쓰든 나는 한 줄도 읽지 않을 테다. 그 나쁜 놈은 이제 깨끗이 잊어버려라.

쥘리앵은 레날 부인이 쓴 편지를 읽었다.

하느님을 믿는 사람으로 신앙과 도덕의 법을 어길 수 없어 당신이 여쭤 본 내용에 대해 편지를 드립니다. 귀하는 쥘리앵에 대해 솔직하게 말해 달라고 하셨습니다. 사실 그는 말로 할 수 없을 만큼 많은 죄를 저질렀습니다. 가난하고 탐욕스러우면서 완벽하게 자신의 본심을 속이는 위선적인 사람입니다. 그는 여자를 유혹해서 신분 상승을 꾀하려는 사람입니다. 어느 집에 들어가서 성공을 하려고 할 경우, 그는 그 집의 부인을 유혹하는 것을 목표로 하는 사람입니다. 욕심이 없는 척하고 소설의 아름다운 말들을 빌려다가 사람의 마음을 흐트러뜨립니다. 그 사람의 단 한 가지 목표는 집 주인의 마음을 사서 그 재산을 갖는 것입니다.

이 편지는 분명히 레날 부인이 썼다. 필적이 레날 부인의 것이었다.
쥘리앵은 편지를 다 읽고 나서 말했다.

"라몰 후작님을 원망할 순 없어. 어느 아버지가 그런 사람에게 귀여
운 딸을 주려고 하겠어. 마틸드, 안녕!"

그는 그 길로 베리에르로 말을 달렸다.

'레날 부인이 나한테 그럴 수가 있어? 내가 위선적인 사람이라고? 내
가 출세하기 위해 여자를 유혹한다고? 나를 그렇게 모욕하다니! 참을
수 없어. 레날 부인은 나의 모든 것을 망쳐 놓았어. 죽여 버리겠어,
내 손으로!'

일요일 아침, 그는 베리에르에 도착했다. 그 곳 총기 상점에 들어가자
주인은 그를 알아보고 아첨을 시작했다. 쥘리앵이 성공했다는 소문이
이 지방에까지 났던 것이다. 그는 권총 두 자루를 샀다. 주인은 그에게
탄알을 장전해 주었다.

종이 세 번 울렸다. 그 종은 곧 미사가 시작된다는 신호였다. 쥘리앵
은 성당 안으로 들어가 레날 부인을 찾았다. 그녀는 기도하고 있었다.
그는 자기를 사랑하던 여자의 모습을 보자 팔이 떨렸다. 그녀를 죽일
수는 없었다.

'나는 못해. 어떻게 내가 레날 부인을 쏠 수 있단 말인가.'

종이 또 울렸다. 그 순간 부인의 머리가 미사포의 주름 속에 묻혔다.
레날 부인의 얼굴이 거의 보이지 않았다. 쥘리앵에게는 더 이상 그 모
습이 레날 부인이라는 느낌이 들지 않았다. 방아쇠를 당겼으나 빗나갔
다. 다시 한 방을 쏘았다. 부인은 푹 쓰러졌다.

슬픈 전말

쥘리앵은 그 자리에 가만히 서 있었다. 정신을 차려 보니 사람들이 소리를 지르며 성당 밖으로 도망치고 있었다. 쥘리앵은 소리를 지르는 사람들 뒤를 따라 천천히 걸었다. 누군가가 밀치는 바람에 쥘리앵은 쓰러졌다. 일어나려고 했을 때 누군가가 그의 뒷목을 잡았다. 헌병이었다.

쥘리앵은 연행되었다. 그는 수갑이 채워지고 감방에 혼자 남겨졌다.

'자, 이젠 모든 게 끝났어. 앞으로 두 주가 지나면 나는 단두대로 향하겠지. 내 목은 그 칼에 잘리겠지. 아니면 그 전에 내가 자살을 하든가…….'

머리가 죄어 오는 듯한 느낌이 들었다. 이윽고 깊은 잠에 빠졌다.

레날 부인은 치명적인 상처를 입지는 않았다. 쥘리앵이 쏜 총알은 그녀의 어깨뼈를 부수고 나갔을 뿐이었다.

장시간의 수술을 마치고 레날 부인이 깨어났을 때 의사는 생명에 지장이 없다고 말했다. 레날 부인은 한숨을 쉬었다. 레날 부인은 죽고 싶은 마음뿐이었다. 그녀는 고해 성사를 해 주는 신부의 강요로 할 수 없이 라몰 후작에게 편지를 썼던 것이다.

'이대로 죽어 버린다면 얼마나 좋을까. 자살한 것도 아니니 나는 하느님께 죄를 짓는 게 아니지.'

레날 부인은 어느 정도 회복되자 하녀를 불렀다. 그리고 그녀를 시켜 쥘리앵을 맡고 있는 간수에게 몰래 돈을 주라고 했다. 쥘리앵을 맡은 간수는 사람들을 함부로 대하는 비인간적인 사람이었던 것이다. 쥘리앵이 간수에게 인간적인 대우를 받을 수 있었던 것은 레날 부인이 하녀를 통해 몰래 건네준 뇌물 때문이었다.

판사가 감옥에 왔을 때 쥘리앵이 말했다.

"저는 계획적인 살인을 저질렀습니다. 총을 사고 탄환을 장전했습니다. 저의 죄는 형법 1342조에 의해 사형입니다. 각오는 되어 있습니다."

판사는 쥘리앵의 말을 듣고 깜짝 놀랐다. 판사는 쥘리앵의 말에서 모순을 찾으려고 애썼다. 하지만 쥘리앵은 웃으며 말했다.

"저는 도망치지 않으니 염려하지 마세요. 그러니 제발 혼자 있게 내버려 두세요."

판사가 떠나자 쥘리앵은 마틸드에게 편지를 썼다.

복수를 했다오. 아마 신문에도 실릴 것이오. 앞으로 두 달 뒤에 나는 죽게 될 거요. 앞으로 나는 당신에게 편지를 쓰거나 당신의 이름을 부르지 않겠소. 당신도 내 이름을 일절 입에 담지 마시오. 태어날 아이를 위해서도 말이오. 살인자의 아들이란 말을 남겨 두고 싶지 않소. 또 한 가지, 당신에게 말해야겠소. 당신은 곧 나를 잊을 것이오. 원래 당신은 중세의 영웅들을 상대로 살아야 할 여자였소. 영웅 같은 굳센 모습을 보여 주시오. 내가 죽은 뒤 크르와즈느와 씨와 결혼하시오. 부탁하오. 아니 당신의 남편으로서 내리는 명령이오. 편지를 보내 와도 나는 답장을 하지 않겠소. 이 편지는 당신에게 보내는 마지막 편지라오. 마지막 사랑의 표시이며……

이 편지를 부치고 나서야 쥘리앵은 침착해졌다. 이젠 죽음도 두렵지 않았다. 쥘리앵은 생각에 잠겼다.

'후회할 게 뭐가 있어. 나는 지독한 모욕을 당했어. 그래서 레날 부인을 죽인 것뿐이야……. 이제 나는 세상에서 아무것도 할 것이 없어.'

쥘리앵은 이렇게 중얼거리고 깊은 잠 속으로 빠져들었다.

밤 아홉 시경에 간수가 야식을 가지고 와서 쥘리앵을 깨웠다. 쥘리앵은 간수에게 베리에르에서 어떤 소문이 돌고 있는지를 물었다.

"나는 간수가 될 때 십자가 앞에서 선서를 한 사람이오. 아무것도 말해 줄 수 없소."

간수는 이렇게 말하고 나서 나가지 않았다. 돈을 바라고 있었던 것이다. 쥘리앵은 그에게 5프랑을 쥐어주자, 그제서야 입을 열었다.

"쥘리앵 씨, 당신이 좋은 사람이니까 말해 주는 거요. 실은 레날 부인은 조금 다쳤을 뿐입니다."

"뭐라고요? 그럼 죽지 않았단 말입니까?"

"이런, 아무것도 모르고 있었군요."

"아무튼 치명상은 아니었군요?"

쥘리앵은 레날 부인이 치명상을 입지 않았다는 사실을 알자 눈물을 흘리더니,

"나가 줘요!"

하고 소리를 질렀다.

문이 닫히자 쥘리앵은 꿇어앉아서 뜨거운 눈물을 흘렸다. 그는 레날 부인이 죽지 않은 것을 다행으로 여겼다. 그리고 처음으로 신의 존재를 믿었다. 그리고는 자기가 저지른 죄를 뉘우치기 시작했다. 쥘리앵의 눈물은 진실이었다.

그 다음 날, 한 대의 마차가 와서 쥘리앵을 데리고 어디론가 갔다. 브장송 감옥이었다. 그는 망루의 맨 꼭대기 감방에 수용되었다.

다음 날 신문이 있었고 신문 이후 며칠 동안은 조용히 지낼 수 있었다. 쥘리앵의 마음은 평온했다. 그리고 자기가 저지른 일에 대한 대가로 자신은 죽어야 한다고 생각했다.

'나는 사람을 죽이려 했어. 그러니 당연히 죽어야 해.'

그 이상은 생각하기 싫었다. 재판, 신문, 변호……. 이런 것들이 다 귀찮았다. 그는 지금 감옥에서의 생활이 전혀 지루하지 않았다. 모든 것이 새롭게 보였다. 야심도 사라졌다. 마틸드는 거의 생각하지 않았다. 그러나 가끔 레날 부인의 모습이 떠올랐다. 특히 한밤중에 더욱 생각났다. 쥘리앵은 레날 부인이 죽지 않은 것을 하늘에 감사했다.

'이상한 일이야. 레날 부인이 라몰 후작에게 편지를 썼기 때문에 내 장래가 망쳐졌다고 생각했었는데……. 그런데 두 주도 지나지 않은 지금 나는 레날 부인과 지냈던 시절을 생각하니 말야……. 만약 레날 부인이 치명상을 입었다면 나는 벌써 자살했을 거야…….'

며칠이 지나자 그는 생각을 바꾸었다.

'자살은 안 돼. 나폴레옹도 끝까지 살았잖아. 살아 있는 것은 즐거운 일이야. 거기다 이 곳은 보기 싫은 사람도 없잖아.'

쥘리앵은 웃으며 생각했다. 그리고 읽고 싶은 책의 목록을 작성하기 시작했다.

망루의 감옥

복도에서 소리가 났다. 사람이 찾아올 시간이 아니었는데 문이 열렸다. 셸랑 사제였다. 몸을 떨며 지팡이를 짚으면서 들어섰다.

"오, 하느님! 어떻게 이런 일이 있을 수 있단 말입니까!"

셸랑 사제의 정력에 넘치던 옛 모습은 간 데 없었다. 세월의 힘은 그에게서 정력을 빼앗아 갔다. 노인은 겨우 숨을 돌리고 말했다.

"조카 집에 있다가 어제야 자네 이야기를 들었어. 이게 웬일이란 말인가?"

늙은 셸랑 사제의 볼을 타고 눈물이 흘러내렸다.

신부의 짧은 방문으로 쥘리앵은 비탄에 잠겼다. 눈물도 나지 않았다. 그저 모든 것이 슬펐다. 셸랑 사제를 만나고 그는 가장 참혹한 시간을 보냈다.

다음 날 아침, 푸케가 왔다. 선량하고 단순한 푸케는 친구가 저지른 일로 몹시 슬퍼했다. 그리고 고맙게도 그는 친구 쥘리앵을 위해 자기가 가진 모든 것을 팔아서라도 그를 도와주려고 했다. 간수를 매수해서 탈옥하자는 이야기도 했다.

"아니야. 나는 죄인이니까 벌을 받아야 해. 너의 마음만은 고맙게 받을게."

쥘리앵은 생각했다.

'힘겹게 모은 돈을 나를 위해 모두 바치려 하다니! 라몰 가의 청년들은 절대로 이런 일을 하지 않지. 파리에 있는 사람들 중에 친구를 위해 누가 이런 희생을 할 수 있겠는가……'

쥘리앵은 셸랑 신부와 푸케 덕분에 잃어버렸던 힘을 다시 얻을 수 있었다.

날마다 신문이 있었고 그 때마다 쥘리앵은 간단히 대답했다. 자기를 변호하려고도 하지 않았다. 그러나 판사는 재판의 절차를 지켜야 했기 때문에 쥘리앵의 '살인을 했습니다. 계획적으로……' 라는 답변에도 신문을 늦추지 않았다.

푸케가 애쓴 덕택으로 쥘리앵은 전망이 좋은 망루 꼭대기에 있는 감옥에 계속 있을 수 있었다. 푸케는 프릴레르 부주교에게 부탁을 했다. 물론 그에게 돈을 갖다 주는 것은 당연했다. 프릴레르 부주교는 쥘리앵의 신학교에서의 자질과 품행을 판사에게 잘 말해 주겠다고 했다. 그러나 프릴레르 부주교는 다른 생각이 있었다. 그와 소송에 휩싸인 라몰 가와 화해를 할 때 쥘리앵을 이용해 자기 쪽으로 유리하게 협상을 할 생각이었다.

'라몰 씨는 분명 이 젊은 신학생과 불미스런 일이 있었을 거야. 그런데 그게 뭘까?'

마틸드의 노력

아침 일찍 옥문이 열렸다. 뜻밖에도 마틸드였다.

"너무해요. 당신의 편지를 받을 때까지 당신이 어디에 있는지 몰랐어요. 당신은 자기의 죄라고 하지만 그것은 고귀한 복수예요. 저는 그것을 이 곳 베리에르에 와서야 알았어요."

쥘리앵은 마음을 가다듬고 말했다.

"앞으로 어떤 일이 일어날지 눈앞에 보여요. 내가 죽은 뒤에 당신은 크르와즈느 씨와 결혼하겠지. 당신도 역시 세상 사람들이 말하는 명예, 부, 신분 등을 행복이라고 말하게 될 거야. 마틸드, 당신이 여기 온 것은 라몰 후작님을 불리하게 하는 일이야. 그럴 수는 없어. 그 분은 나에게 은혜를 베푼 분이야. 그 분을 힘들게 하고 싶지 않아."

"걱정 마세요. 저는 시녀의 이름으로 통행증을 끊었으니까요. 미슐레부인이라는 이름으로. 그러니까 내 진짜 이름을 아는 사람은 없어요. 그리고 여기에 와서 면회를 할 수 없다는 판사의 비서에게 백 프랑을 쥐어줬어요. 그래도 나를 의심하기에 파리에서 결혼한 당신의 아내라고 했어요. 그래서 면회를 할 수 있었어요."

쥘리앵과의 만남으로 걷잡을 수 없는 기쁨에 빠졌던 마틸드는 이윽고 공상에 잠겼다. 자기가 머릿속에 그려 보며 우상으로 여기던 인물보다 쥘리앵이 더 멋진 인물 같았다. 보니파스 드 라몰의 부활한 모습, 아니 그 이상이었다.

사랑에 미친 어떤 여자가 쥘리앵을 구하기 위해 파리에서 왔다는 소문이 베리에르 지방에 돌았다. 그녀는 혼자서 브장송을 분주히 돌아다녔다. 자기 정체가 드러나지 않기를 바라고 일부러 수수한 옷차림을 했지만 실제로는 사람들의 눈길을 받을 만한 옷차림이었다.

마틸드는 브장송 지방의 법률가를 매수했다. 그러다 이 지역에서 일어나는 모든 일은 프릴레르 부주교의 손에 달려 있다는 것을 알게 되었다. 따라서 미슐레라는 평범한 이름으로는 그를 만날 수 없다는 것을 알았다. 일주일 뒤에 마틸드는 간신히 프릴레르 부주교를 만날 수 있었다. 프릴레르 부주교는 마틸드가 자기의 적수인 라몰 후작의 딸이라는 것을 쉽게 알아차렸다.

"사실 저는 미슐레가 아닙니다."

그녀는 귀족적인 풍모로 돌아가 다소 거만하게 입을 열었다.

"저는 드 라 베르네 씨를 어떻게 석방할 수 있을지 의논하러 왔습니다. 그는 경솔해서 죄를 범한 것에 지나지 않아요. 쥘리앵의 총을 맞은 여자는 죽지 않았습니다. 저는 하급 관리를 매수할 돈도 충분히 드릴 수 있어요. 돈은 원하는 대로 드리겠습니다. 그리고 그를 석방시켜 주시는 분에게는 원하는 대로 사례를 하겠어요."

부주교는 쥘리앵을 베르네라고 부르는 것을 이상하게 생각했다. 그리고 그 이름은 라몰 후작이 자기 딸과 쥘리앵을 비밀 결혼을 시켜 주기 위해 내려준 성이라는 것을 마틸드의 이야기를 통해 알았다. 부주교는 이 비밀을 어떻게 자기 쪽으로 유리하게 쓸 수 있을지를 생각했다. 그리고 페르바크 부인과 쥘리앵의 사이까지 알게 되었다.

'오, 이런! 페르바크 부인이라. 그는 주교의 조카딸이 아닌가. 주교는 조카의 부탁을 대부분 들어준다지? 주교에게는 임명권이 있어. 페르바크 부인을 잘 이용하면 나는 좋은 자리를 얻을 수 있을 거야.'

프릴레르 부주교는 자기가 주교직에 오를 수 있다는 희망에 그만 눈이 어두워졌다. 그리고는 쥘리앵을 석방할 길을 찾아보았다. 부주교의 생각을 눈치챈 마틸드는 페르바크 부인에게 쥘리앵 이야기를 하는 것이 싫었지만 석방을 위해서는 그녀에게 도움을 청할 수밖에 없었다.

"걱정 마십시오. 나는 배심원들을 내 편으로 만들 수 있습니다. 배심원 추첨이 어떻게 나오든 말입니다."

부주교는 마틸드에게 자기가 쥘리앵을 기소할 검찰관을 마음대로 조정할 수 있다는 말도 했다. 물론 그것은 거짓이었다.

마틸드는 페르바크 부인에게 편지를 보냈다. 그리고 브장송에 와 달라고 요청했다. 이 일은 마틸드가 자신의 자존심을 모두 버리는 일이었다.

한편, 쥘리앵은 죽음이 가까워지면서 마음이 평온해지고 선량해졌다. 라몰 후작, 마틸드 모두에게 양심의 가책을 느꼈다. 쥘리앵은 자기가 마틸드의 헌신을 받을 만한 자격이 없다고 생각했다. 그러면서 레날 부인을 생각했다. 사실 그는 마틸드보다 레날 부인을 더 그리워했다. 혼자 감옥에 있을 때 레날 부인과의 추억을 그려 보았다. 파리에서의 생활은 전혀 생각나지 않았다.

마틸드는 날이 갈수록 쥘리앵이 레날 부인을 그리워하고 있다는 것을 본능적으로 알았다. 그러면서도 쥘리앵이 죽으면 자기도 따라 죽겠다는 생각을 했다.

어느 날, 쥘리앵은 마틸드에게 이런 부탁을 했다.

"아기를 낳거든 그 아기는 레날 부인더러 키우도록 하시오. 부인은 그 아이를 정성껏 키워 줄 거요."

마틸드는 그 말을 듣고 새파랗게 질렸다.

"어쩜, 그렇게 잔인한 말을 하세요?"

쥘리앵은 마틸드가 어느 정도 진정되고 눈물이 마르자 그녀의 마음이 상하지 않도록 조심스럽게 말했다.

"정열은 어느 한순간이라오. 지금은 내 말이 매정하게 들리겠지만 그것이 당신을 위하는 길이라오. 제발 크르와즈느와 후작과 결혼하시오. 미망인으로 혼자서 아이를 키우며 살 순 없소. 세월이 흘러 15년쯤 지나면 당신은 나에게 품었던 연정을 후회하게 될 거요."

쥘리앵은 여기까지 말하고는 깊은 생각에 잠겼다.

'그러나 레날 부인은 내 아들을 변함없이 사랑하겠지. 마틸드는 나의 아기를 잊어버리겠지만⋯⋯.'

재 판

판결을 내리는 순간이 다가왔다. 변호사는 변론을 준비했다. 브장송은 말할 것도 없이 인근 지방에서도 이 사건으로 시끄러웠다. 마틸드와 푸케는 쥘리앵에게 유리한 조건이 될 만한 사실들을 알려 주려고 했다. 하지만 쥘리앵은 그런 말을 들으려 하지 않았다. 오히려 자기의 죽음을 섣불리 받아들이려 했다.

"제발 나를 어지럽게 하지 말아 줘. 사람은 누구나 죽게 마련이야."

이렇게 말하고는 생각에 잠겼다.

'아마 한 달도 되지 않아 사람들은 나를 잊을 거야.'

배심원으로 추첨된 사람들 중에는 수도회원 다섯 명, 발르노, 므와로, 숄랭 등이 있었다. 그것을 보고 프릴레르 부주교는 몹시 기뻐했다. 거기다가 성직자의 임명권을 손에 쥐고 있는 주교의 조카 페르바크 부인이 쥘리앵이 석방되기를 바란다는 탄원서를 보내서 더욱 기뻤다. 그는 마틸드에게 배심원들을 책임질 수 있다고 말했다.

신문은 배심원의 명단을 발표했다. 레날 부인은 그 기사를 보고 배심원들에게 편지를 보냈다.

공판 당일 저는 방청하러 가지 못합니다. 제가 나가서 혹시 쥘리앵에게 불리한 판결이 날까 두렵기 때문입니다. 저는 그가 석방되기를 원합니다. 이것은 진심입니다. 어느 누구도 사람의 목숨을 빼앗을 권리는 없습니다. 그 가엾은 젊은이는 적이 많습니다. 신분에 맞지 않게 너무 똑똑하고 뛰어난 재능으로 빛이 났기 때문입니다. 쥘리앵의 적들도 그의 재능과 학식을 의심하지 않을 것입니다. 베리에르와 베르지의 주민, 그리고 우리 가족 전부는 그의 신앙을 보증합니다. 그는 성서를 모두 암송하는 사람입니다. 그런 그가 어찌 사람을 죽일 수 있겠습니까? 그를 사형시키는 것은 저를 죽이는 것입니다. 제가 입은 상처는 경미합니다. 고의로 범한 죄가 아님을 주장합니다.

드디어 재판 날이 다가왔다. 인근 주민들은 소설 속에서나 일어날 이 사건을 구경하기 위해 브장송으로 모여들었다. 여관은 만원이었고, 방청권은 모두 매진되었다. 페르바크 부인의 삼촌인 프랑스의 대주교가 쥘리앵의 석방을 요구하는 편지를 보내와 이 편지를 프릴레르 부주교에게 전달했다. 눈물을 흘리며 방을 나가려는 마틸드에게 부주교는 부드럽게 말했다.

"걱정하지 마십시오. 배심원들은 모두 내 말을 들을 것입니다. 베리에르 시장인 발라르 남작만 해도 내가 시장으로 승진시켜 준 사람입니다."

마틸드는 조금 안심이 되었다. 그러나 저녁때 마틸드는 쥘리앵과 한

차례 씨름을 해야 했다. 쥘리앵은 판결 결과는 뻔하다며 일체의 발언을 하지 않기로 결심을 한 것이다.

"변호사가 나 대신 변론할 테죠. 그것으로 충분해요."

다음 날 아침 아홉 시, 쥘리앵이 감옥에서 대법정으로 후송되었다. 대법정 뜰에는 재판을 구경하러 온 사람들로 발 디딜 틈이 없었다. 공판이 있을 법정에 들어서자 방청석에는 부인들로 꽉 찼다. 대부분 젊은 여자들이었고 호기심에 가득 찬 표정들이었다. 그 부인들 중에 레날 부인의 친구인 데르빌 부인도 보였다.

재판이 시작되었다. 증인들이 한 명씩 나와 증언을 했다. 검사는 쥘리앵의 범행을 규탄했다. 부인들은 검사의 논고에 몹시 불만을 나타냈다. 변호사의 변론이 시작되자 부인들은 거의 모두 손수건을 꺼내 들었다. 이에 힘입은 변호사는 더욱 강력한 변론을 배심원들에게 했다. 잠시 휴정에 들어갔다. 재판장이 요점을 파악하는 시간이 지났다. 쥘리앵은 발언을 하지 않으려는 결심을 더욱 굳혔다. 그러다 재판관이 무슨 첨가할 말이 있느냐고 묻자 쥘리앵은 자기도 모르게 벌떡 일어났다.

"배심원 여러분! 저는 불행히도 당신들과 같은 상류 계급이 아닙니다. 저는 시골뜨기에 불과하죠."

그리고는 다시 목청을 가다듬고 말을 이었다.

"여러분께 용서를 청하는 것은 아닙니다. 죽음이 저를 기다리고 있습니다. 그리고 그것은 당연합니다. 저는 레날 부인의 생명을 빼앗으려고 했습니다. 그 분은 저에게 인자한 어머니와 같은 분이었습니다. 저는 계획적으로 그 분을 살해하려고 했습니다. 그러므로 저는 당연히 죽어야 합니다. 그러나 제가 그다지 죄가 무겁지 않더라도 여러분들은 저에게 큰 벌을 주실 것임을 저는 압니다. 왜일까요? 가난한 계급이면서도 제 주제를 모르고 부유층의 사교계에 들어가 그들과 어울리는 것이 못마땅했을 테니까요. 나같이 분수를 모르는 하층민을 벌 주어 다시는 건방진 녀석이 생기지 않도록 용기를 꺾겠지요. 보십시오. 배심원 중에 농민은 한 사람도 없습니다. 오직 부르주아들만 있을 뿐입니다."

이런 식으로 쥘리앵은 20분 이상 말을 했다. 가슴속에 맺혔던 것들을 모조리 털어놓았다. 사람들은 쥘리앵의 말에 손수건으로 눈물을 닦았다. 끝으로 쥘리앵은 범행의 계획, 후회, 자기가 행복했던 시절, 레날 부인에 대한 흠모와 존경 등을 이야기했다. 쥘리앵이 모든 말을 마치자 배심원들은 법정을 나갔고, 방청객들은 한 명도 자리를 뜨지 않았다. 남자들도 몇 명 눈물을 글썽였다.

배심원들의 결정이 끝나고 그들이 돌아오자 방청석이 갑자기 소란해졌다. 발르노 남작이 엄숙하고 비장하게 법정으로 들어섰다. 그를 따라 배심원 전원이 입장했다.

발르노는 기침을 한 번 하고는 배심원 전원의 만장일치로 쥘리앵 소렐이 계획적인 살인을 기도했다며 유죄라는 결론을 내렸다. 그리고 곧이어 사형 언도가 내려졌다. 그 순간, 방청석의 부인들이 흐느껴 울기 시작했다. 그 중에는 마틸드도 있었다.

'레날 부인을 다시는 만날 수 없겠지. 이제 모든 것이 끝났어. 오오! 한 번만이라도 레날 부인을 만날 수 있다면……'

쥘리앵은 사형수 감방에 수감되었다. 그는 레날 부인을 만나면 무슨 말을 할까를 생각했다.

다음 날 아침, 누가 꼭 껴안는 바람에 쥘리앵은 잠에서 깼다.

"뭐야, 벌써 나를 죽이려고?"

쥘리앵은 사납게 소리를 질렀다. 사형 집행인이라고 생각했던 것이다. 마틸드는 오랫동안 아팠던 사람처럼 얼굴이 창백했다.

"프릴레르 부주교가 배반했어요."

그녀는 너무 억울하고 서러워서 눈물도 나오지 않았다. 하지만 쥘리앵은 엉뚱한 말을 했다.

"어때? 내 즉흥 연설 훌륭하지 않았어? 나는 귀족 출신이 아니야. 하지만 당신이 나를 높은 위치까지 올려 주었지. 당신이 영웅시하는 보니파스 드 라몰도 재판관 앞에서 그렇게 훌륭하진 못했을 거요."

마틸드는 변호사가 옆방에 와 있다며 항소할 서류에 서명을 하라고 했다.

"난 항소하지 않겠소."

"뭐라고요? 그게 무슨 소리예요?"

마틸드가 간곡하게 설득했지만 아무 소용이 없었다. 변호사도 와서 쥘리앵을 설득했지만 쥘리앵의 의지를 꺾지는 못했다.

재 회

깊은 잠에 빠졌던 쥘리앵은 손등에 눈물이 떨어지는 것을 느끼고 잠에서 깼다.

'마틸드가 또 왔군. 눈물로 나를 설득하려고 말야.'

그러나 마틸드가 아닌 레날 부인이었다.

"아, 죽기 전에 당신을 보게 되다니. 이게 꿈은 아니겠지요?"

쥘리앵은 레날 부인의 발 아래 몸을 던졌다.

"저를 용서해 주십시오. 당신을 죽이려 했던 저를 용서해 주세요. 흑흑흑……."

"쥘리앵, 나는 당신이 항소하기를 원해요. 이대로 죽는 것은 절대로 안 돼요."

"저를 용서해 주시겠어요?"

"당신이 항소를 한다면요."

"저를 날마다 만나러 와 주시겠어요?"

"그럼요. 날마다 오고말고요. 남편이 방해만 하지 않는다면."

쥘리앵은 레날 부인을 힘껏 껴안았다.

"당신의 방에서 마지막으로 당신을 보았을 때 이런 일이 있으리라고 누가 상상이나 했겠습니까?"

"라몰 후작에게 그런 편지를 쓰게 되리라고 누가 생각했겠어요?"

레날 부인도 상심에 찬 목소리로 말했다.

"저는 언제나 당신만을 사랑해 왔습니다."

"정말이에요?"

두 사람은 서로 안고 흐느껴 울었다.

시간이 어느 정도 지나자 레날 부인이 말했다.

"저는 당신과 마틸드 양의 사랑을 이해해요."

"그 여자는 제 아내지만 애인은 아니지요."

레날 부인은 자기가 어떻게 라몰 후작에게 편지를 쓰게 되었는지 이야기했다.

"저는 종교를 배반할 수 없었어요. 그래서 신부가 시키는 대로 쓸 수밖에 없었어요."

"레날 부인, 앞으로 두 달 동안 우리 즐겁게 보내요. 그리고 저에게 무슨 일이 있더라도 죽겠다는 생각을 하면 안 됩니다. 제 자식을 맡아 주십시오. 제 자식은 마틸드가 크르와즈느와 후작과 결혼하면 버림을 받게 될 것입니다."

"약속하겠어요. 그러나 저는 당신의 항소장을 받아야겠어요."

"그건 안 됩니다. 그렇게 하면 당신이 곤란해집니다. 당신 신세를 망

치게 됩니다."

"여기까지 당신을 만나러 온 저예요. 저는 이미 이 지방의 이야깃거리가 됐어요. 이미 정숙하지 않은 여자로 낙인 찍혔습니다."

레날 부인이 쥘리앵을 찾아갔다는 이야기를 누군가가 레날 씨에게 알려 브장송에서 돌아오라는 연락이 왔다. 레날 부인과의 이별은 쥘리앵에게 고통이었다.

마틸드는 쥘리앵에게 와서 발르노 시장 때문에 쥘리앵이 사형을 당하게 되었다고 전해 주었다.

"프릴레르 신부는 저에게 이렇게 말했어요. 옹졸한 부르주아적 귀족들을 왜 건드렸냐고요. 왜 계급 이야기를 해서 그들의 심기를 건드렸냐고요. 계급적인 이해 때문에 사형을 내린 거래요. 발르노 시장은 부주교에게 잘 보여서 승진을 하고 싶었는데 재판 전에 이미 지사로부터 승진 발령을 받았대요. 그래서 부주교의 말을 무시하고 사형을 내렸다고 해요."

죽 음

프릴레르 부주교 덕분에 쥘리앵은 감방에서 수도회의 보호를 받을 수 있었다. 이러한 여건에서는 탈옥을 할 수도 있었다. 하지만 쥘리앵은 그럴 마음이 없었다. 그러던 어느 날, 레날 부인이 찾아왔다.

"베리에르를 떠나 왔어요."

레날 부인은 큰어머니의 도움과 돈의 힘으로 하루에도 몇 번씩 쥘리앵을 만날 수 있었다. 이 소식을 들은 마틸드는 속이 뒤집힐 지경이었다. 마틸드는 더욱 쥘리앵을 사랑하게 되었고 만날 때마다 말다툼을 하게 되었다. 쥘리앵은 자기 때문에 신세를 망친 가엾은 마틸드에게 친절하게 대하려고 했다. 하지만 레날 부인에 대한 열정은 식지 않았다.

마틸드는 어떻게 해서 쥘리앵이 항소를 하고, 석방되어서 그의 마음을 레날 부인으로부터 돌릴 수 있을지 연구했다. 그녀는 그런 괴로움과 부끄러움으로 인해 점점 침울해졌다.

한편, 쥘리앵은 마틸드가 자기 옆에 와 있는 시간을 제외하고는 늘 레날 부인과의 사랑에 잠겨 앞날을 잊었다. 두 사람은 베르지에서의 생활을 이야기하며 추억에 잠기곤 했다. 하지만 항소를 하지 않겠다는 그의 결심은 바뀌지 않았다. 사형 집행일은 점점 다가왔다.

죽기 전날 쥘리앵은 푸케에게 이런 말을 했다.

"죽는 순간에 기분이 어떨까? 나는 죽는 순간까지 공포에 질린 창백한 얼굴은 하지 않을 거야."

그리고 사형 집행날 아침, 마틸드와 레날 부인을 다른 곳으로 데려가 달라고 당부했다.

쥘리앵은 레날 부인에게 다시 한 번, 마틸드가 낳은 아기를 위해서라도 살아남아 달라고 했다.

어느 날은 푸케에게 이런 말을 한 적도 있었다.

"죽은 후에도 어쩌면 감각만은 남아 있을지 몰라. 그러면 나는 베리에르가 내려다보이는 높은 언덕에서 쉬고 싶어. 나는 그 언덕에서 산 아래를 내려다보며 야망을 키웠지. 나는 그 언덕이 그리워. 그래! 브장송의 수도회 양반들은 돈이라면 무슨 일이라도 하니 자네가 잘만 하면 내 시체를 살 수 있을 걸세……. 나를 그 곳에 묻어 주게."

쥘리앵의 사형 집행일은 맑은 날이었다. 밝은 햇살에 만물이 환하게 보였다. 쥘리앵은 이상하게 기운이 났다.

'자, 모든 게 끝났어. 끝까지 용기를 잃지 않을 거야.'

그는 혼자 중얼거렸다. 그리고 단두대에서 목이 잘렸다. 목이 잘리는 순간 그는 시적인 감상이 떠올랐다. 레날 부인과 지낸 아름다운 추억이 강렬하게 되살아났다. 쥘리앵은 최후의 순간에 담담히 죽음을 받아들였다. 푸케는 쥘리앵의 목 잘린 시체를 살 수 있었다. 그는 쥘리앵의 시체를 옆에 놓고 홀로 밤을 지새웠다. 그 때 마틸드가 들어왔다. 푸케는 기겁을 하고 놀랐다. 불과 몇 시간 전 브장송에서 백 리나 떨어진 곳에 그녀를 내려놓고 왔는데, 어느 새 그녀가 자기 집에 온 것이다. 마틸드는 제정신이 아닌 눈빛이었다.

"시체는 어디 있나요? 내 눈으로 보겠어요."

푸케는 방바닥에 놓인 커다란 청색 외투를 가리켰다. 그 속에 쥘리앵의 시체가 있었다. 마틸드는 털썩 주저앉았다. 보니파스 라몰과 마르그리트 드 나바르의 기억이 떠올랐다. 그녀는 부르르 떨리는 손으로 외투를 젖혔다. 푸케는 차마 볼 수 없어 고개를 돌렸다. 마틸드는 조그만 대리석 위에 쥘리앵의 머리를 올려놓고 그 이마에 키스를 했다.

쥘리앵의 시신은 여러 성직자들에게 둘러싸여 그가 말한 산 꼭대기로 옮겨졌다. 마틸드는 애인의 무덤까지 쫓아갔다. 그녀는 남몰래 관이 실려 있는 마차에 올라타 그렇게도 사랑하던 남자의 머리를 무릎 위에 올려놓았다. 사제들이 장례 의식을 거행했다. 이 신기한 장례식을 보려고 사람들이 몰려들었다. 마틸드는 그 사람들에게 5천 프랑을 뿌렸다. 의식을 마치자 마틸드는 푸케에게 자기 애인의 머리를 직접 묻겠다고 말했다.

마틸드는 쥘리앵이 묻힌 무덤을 대리석으로 화려하게 장식했다. 레날 부인은 쥘리앵과의 약속을 충실히 지키려고 노력했다. 그녀는 스스로 목숨을 끊을 생각은 하지 않았다. 그러나 쥘리앵이 죽은 지 사흘 후, 레날 부인은 자기 아이들을 품에 꼭 안은 채 이 세상을 떠났다.

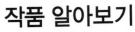

작품 알아보기
(장편문학)

〈적과 흑〉의 주인공 쥘리앵 소렐은 여자처럼 섬세한 외모와 명석한 두뇌를 가지고 있다. 베리에르의 시장 레날 씨 집의 가정교사로 들어간 그는 처음에는 특권 계층에 대한 증오심으로 레날 부인을 유혹하지만, 그녀의 순수한 열정으로 사랑에 빠진다. 그러나 레날 부인과의 소문 때문에 브장송 신학교로 떠나고 그 곳에서 피라르 사제의 추천으로, 파리의 라몰 후작의 비서직을 맡게 된다.

쥘리앵은 후작의 딸 마틸드와 사랑에 빠져 마틸드가 임신하기에 이른다. 후작은 딸을 위해 쥘리앵에게 지위까지 주고, 그는 결혼으로 인해 신분상승의 꿈까지 이루게 된다. 그러나 그 직전, 레날 부인의 편지로 인해 쥘리앵의 꿈은 깨어져 버리고, 화가 난 쥘리앵은 베리에르로 달려가 레날 부인을 총으로 쏜다. 쥘리앵은 감옥에서 자신의 삶을 뒤돌아보며, 세속적인 야망도 버리고, 레날 부인의 사랑도 확인한다. 그리고 법정에서 자신의 죄를 인정하는 한편 불합리한 신분 질서와 사회의 모순을 고발한 후 형장의 이슬로 사라진다.

쥘리앵 소렐은 스탕달 자신의 자화상이며, 적은 군인을 흑은 성직자를 상징하는 것이다.

논술 길잡이
(장편문학)

❶ 다음은 베리에르 시장인 레날 씨에 대한 설명이다. 파리 사람들이 싫어할 만한 성격이란 그의 어떤 점을 말하는가? 또한 레날 씨에 대한 베리에르 시민들의 평판은 어떠한가를 본문에서 찾아 써 보자.

얼핏 보기에 시골 시장 같은 위엄이 있는 이 50대의 중년 남자는 매력적이다. 하지만 파리에서 온 사람이라면, 어딘지 모르게 꽉 막히고 융통성이 없고 교만한 그의 인상에 눈살을 찌푸릴 것이다. 이 사람이 베리에르 시장인 레날 씨다.

....

....

....

....

....

논술 길잡이
(장편문학)

❷ 남녀간의 사랑에 대해 무지했던 레날 부인이 쥘리앵을 사랑
하게 되었다. 레날 부인이 이런 자기 고민을 아무에게도 말
할 수 없었던 이유는 무엇인가? 또 쥘리앵과 레날 부인과의
사랑에 대해 자신의 생각을 써 보자.

....

....

....

....

❸ 주인공 쥘리앵 소렐의 성격을 파악해 본 다음, 그의 성격의
특징을 몇 가지로 나누어 써 보자.

....

....

....

....

....

논술 길잡이
(장편문학)

❹ 다음 그림은 라몰 후작이 자신의 딸 마틸드가 쥘리앵을 사
  랑하게 된 사실을 알고 분노하는 장면이다. 라몰 후작이 그
  토록 화를 낸 이유가 무엇인지를 써 보자.

....

....

....

....

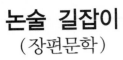

논술 길잡이
(장편문학)

❺ 프랑스 정치소설로 불리는 이 작품을 이해하기 위해서는 먼저 그 시대적 배경을 알아야 한다. 이 작품이 씌어진 1830년 대 프랑스의 시대적 배경을 조사해서 써 보자.

....

....

....

....

❻ 작가 스탕달은 〈적과 흑〉이란 제목으로 무엇을 상징하려고 했는지 조사해서 쓰라.

....

....

....

....

논·술·세·계·대·표·문·학 〈전60권〉

펴 낸 이   정재상
펴 낸 곳   훈민출판사
주   소   경기도 고양시 덕양구 원당동 416번지
대 표 전 화   (031)962-3888
팩   스   (031)962-9998
출 판 등 록   제395-2003-000042호

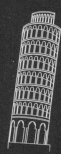